qu il ait fait beau

Collection animée par Soazig Le Bail.

© ÉDITIONS THIERRY MAGNIER, 2012
ISBN 978-2-36474-080-8

Loi n° 49-956 du 16 juillet 1949 sur les publications destinées à la jeunesse
Maquette : Bärbel Müllbacher

encore heureux qu'il ait fait beau

Florence Thinard

Roman

Illustration de couverture
de Barroux

EDITIONS
THIERRY
MAGNIER

Florence Thinard est née juste en face de l'Atlantique, à Royan, en 1962. Devenue journaliste et auteur de documentaires, elle s'efforce de décrypter l'actualité. Pour équilibrer ce travail d'une sévère rigueur, elle écrit des histoires où la réalité se soumet joyeusement à l'imagination.

Fictions :
Une Gauloise dans le garage à vélos, éd. du Rouergue, 2003. (Prix des Incorruptibles 2005, Prix Escapade des lecteurs de l'Indre 2005)
Une fille fan de foot, éd. Pocket Jeunesse, 2004.
Entre chien et Lou, éd. du Rouergue, 2005.
« Noir destin pour plastique blanc » in *Nouvelles vertes*, éd. Thierry Magnier, 2005.
« La fin de la faim ? » in *Nouvelles re-vertes*, éd. Thierry Magnier, 2008.
Mesdemoiselles de la Vengeance, éd. Gallimard jeunesse, 2009.
« La Gloire de mes sœurs » in *Comme chiens et chats – Histoires de frères et sœurs*, éd. Thierry Magnier, 2011.
Le jour des poules, éd. Thierry Magnier, 2013.
Totems, Magots à gogo, éd. Thierry Magnier, 2017.
Totems, Dans la gueule du loup, éd. Thierry Magnier, 2017.
Totems, Chat va barder !, éd. Thierry Magnier, 2017.
Totems, Bons baisers d'otarie, éd. Thierry Magnier, 2018.
Totems, L'abominable ours des neiges, éd. Thierry Magnier, 2018
Poilus, 10 récits d'animaux pendant la Grande Guerre, éd. Thierry Magnier, 2018.

Documentaires :
Mondes rebelles Junior, avec Élisabeth Combres, éd. Michalon, 2001. (Prix Sorcières 2002 du documentaire)
Les 1 000 Mots de l'info, avec Élisabeth Combres, éd. Gallimard, 2003. (Prix de la presse des jeunes, 2003)
Les Clés de l'info, avec Élisabeth Combres et Sophie Lamoureux, éd. Gallimard, 2005.
Élections et démocratie, avec Élisabeth Combres, éd. Gallimard, 2007.
Une seule terre pour nourrir les hommes, ill. Loïc Le Gall, éd. Gallimard jeunesse, 2009. (Prix « Terre en vue » du salon du livre jeunesse de Montreuil 2009)
Pourquoi la guerre ? Comment la paix ?, ill. Loïc Le Gall, éd. Gallimard jeunesse, 2010.

À mes copains de la 6ᵉ SEGPA du collège de La Reynerie : Abdesslem, Alhassan, Amine, Anrchidine, Jasseur, Kahina, Moktaria, Mama, Myriam, Mounir, Rachid, Ruben, Sabrina, Sihem, Youcef et Yunus, en leur souhaitant bon vent, belle mer et un coin de ciel toujours bleu.

À Chantal, experte *ès* bouteilles à la mer, et à Rachida, bibliothécaire au long cours, qui les amenèrent à bon port de tant de lectures.

À tous les profs qui tiennent la barre contre vents et marées.

Merci à Marc M., alors capitaine du navire, de m'avoir accueillie à bord.

« Encore heureux
Qu'il ait fait beau
Et que la *Marie-Joseph*
Soit un bon bateau… »

Les Frères Jacques
Paroles et musique de Stéphane Golmann

« Ah, jeunes gens, voyagez si vous le pouvez, et si vous ne le pouvez pas… voyagez tout de même ! »

Jules Verne, *L'École des Robinsons*

Le départ

Personne ne sut jamais comment, ni pourquoi la bibliothèque Jacques-Prévert, un grand bloc de béton gris audacieusement cubique, avait un jour largué les amarres.

Ce que l'on sut, bien longtemps après, c'est que ce mardi-là, un 12 février froid et venteux, deux événements exceptionnels se produisirent.

Le premier eut lieu à 16 h 42 : Sarah Boubacar mit Saïd Hussein à la porte. Il est extrêmement rare qu'une bibliothécaire jette un lecteur dehors. Mais celui-ci rôdait depuis des heures comme un tigre en cage, de la salle des périodiques à l'espace multimédia, sans jamais, jamais ouvrir un livre, ni une BD, ni un journal. Le jeune pulvérisa les limites de l'immense patience de Sarah en déclarant aux 6e F ébaubis : « La lecture, c'est un truc de gonzesses ! »

Après la volcanique intervention de Sarah, Saïd sortit du hall en claquant la porte qui vibra longuement derrière lui. La bibliothécaire, sourcils froncés, lèvres pincées, poursuivit le rangement des albums ravagés par les petits de maternelle.

Le second fait inhabituel survint aussitôt. À 16 h 44 précises, un CRAAAC monumental, un coup de fouet sec et électrique cingla le ciel du quartier. Dans la bibliothèque, tous sursautèrent.

Soudain, la porte se rouvrit et Saïd trébucha à l'intérieur.

– Y a de l'eau ! Y a de l'eau partout !

Sarah répondit sans lever les yeux des piles d'albums.

– Cette eau qui tombe du ciel s'appelle de la pluie. C'est sans danger, Saïd, tu peux ressortir.

– Non, v'nez voir, l'eau, elle monte sur les escaliers. J'peux pas passer, j'sais pas nager !

– Saïd, ça suffit ! Ce soir je suis fatiguée et peu sensible à ton humour…

– Mais j'humorise pas. V'nez voir, au moins. L'eau est toute noire ! On voit même plus les vélos !

Un effroi sincère résonnait dans la voix du garçon et Sarah jeta un œil par la fenêtre. Il faisait sombre déjà, mais la nuit tombe si tôt en février ! D'habitude, on distinguait pourtant les halos orangés des lampadaires de la place commerciale, la croix vert menthe de la pharmacie, le néon rose de « Momo le moins cher et ses quarante affaires ».

Mais là, rien. Un noir d'encre, une nuit absolue. Sarah pensa aussitôt à une panne d'électricité géante, avant de réaliser que toutes les lumières de la bibliothèque étaient allumées. Elle fronça encore davantage les sourcils et rejoignit les 6ᵉ agglutinés à la porte, se bousculant pour mieux voir qu'on ne voyait rien. Même leur professeur de technologie, M. Daubigny, avait abandonné sa sacoche débordante de pieds à coulisse et d'électromètres et, le nez collé à la vitre, scrutait la rue.

– Vous voyez quelque chose ? demanda Sarah.

– Non… C'est étrange, on dirait que la lumière de la bibliothèque se reflète sur une sorte d'étendue miroitante, comme… comme de l'eau…

– De l'eau ? Mais voilà une semaine qu'il n'a pas plu ! Peut-être une canalisation a-t-elle cédé ? Je vais voir !

– Heu… Tout de suite ? Tout… toute seule ? Dans ce quartier… bafouilla M. Daubigny. Il vaudrait mieux appeler les pompiers. Ou alors la police ?

La frayeur perçait dans la voix du professeur. Sarah l'observa un instant avec un peu de pitié. C'était un homme qui aurait pu être séduisant s'il n'avait été aussi fermé, sans cesse sur la défensive, comme tant d'autres impressionné par cette ville de barres, de tours et de parkings où le propulsait chaque jour son métier d'enseignant.

– J'en ai pour une minute, assura-t-elle en tournant les talons.

Saïd lui emboîta le pas.

– J'viens aussi !

– Non. Toi, tu restes ici. Je veux m'assurer que tout est normal.

Sarah ouvrit la porte, descendit quelques marches et disparut aussitôt, avalée par l'obscurité.

– Sors ! Reste ! Faudrait savoir ! J'suis pas un giratoire, moi ! grommela Saïd.

– Pas un giratoire, une girouette, osa une petite voix dans son dos.

– J't'ai demandé l'heure, tête d'œuf ? fit Saïd en toisant un gosse tout maigre, affligé d'épaisses lunettes et qui flottait dans un survêtement bardé d'inscriptions plus ou moins américaines.

– T'auras raison une autre fois, Karim, glissa à l'oreille du gosse une brunette aux traits délicats, au nez pointu et aux oreilles un petit peu décollées.

– C'est ça, écoute Minnie la souris, ricana Saïd. Ferme-la.

– Je m'appelle Rosalie, espèce de grand…

Le retour de Sarah, les yeux agrandis de surprise, fit taire tout le monde. Sa peau mate luisait d'une légère sueur malgré le froid et elle fit un effort visible pour paraître calme.

– Les enfants, allez vous asseoir dans le coin lecture. Je vous rejoins dans un instant.

– Mais c'est l'heure de la sortie !

– On doit rentrer au collège ! Ma mère vient me chercher !

– Moi, c'est mon père !

– J'vais rater le bus !

– Silence ! Obéissez ! Et dans le calme !

Tous jugèrent bon de filer mais en protestant avec la dernière énergie.

Sarah empoigna le téléphone et composa le numéro du directeur à l'étage au-dessus.

– Gérard, pourriez-vous descendre ?

– Un problème ?

– Je… je ne sais pas encore, venez vite !

Elle composa un deuxième numéro. La sonnerie retentit plusieurs fois avant qu'une voix fatiguée ne réponde :

– Alllôôô ?

– Madame Pérez ! Ouf, j'ai eu peur… Je voudrais que vous montiez dans le hall.

– Avec mes produits ? Parce que j'ai pas encore sorti les poubelles, alors d'abord je…

– NON ! Ne sortez pas ! Venez tout de suite, madame Pérez, c'est important !

– Mais pas longtemps, alors, parce que mon fils…

– S'il vous plaît, madame Pérez…

– D'accord, d'accord, je viens…

Puis Sarah composa plusieurs autres numéros : celui des pompiers, du commissariat, de la mairie… Elle écouta, le visage fermé. Raccrocha.

Enfin elle releva les yeux et avoua au professeur qui l'observait, anxieux :

– Personne ne répond. C'est étrange…

Gérard Patisson et Mme Pérez pénétrèrent dans le hall au même instant, par des escaliers opposés. Le directeur, grand, sec, dégingandé, avait enfilé une veste à la hâte et portait ses lunettes perchées sur ses cheveux gris en bataille. Mme Pérez était une dame grassouillette, vêtue d'une blouse fleurie aux poches gonflées de chiffons. Son chignon auburn était protégé par un foulard brodé de sequins et à ses oreilles tintinnabulaient de longues boucles d'oreilles dorées. Sarah leur exposa la situation en quelques mots, tandis que M. Daubigny tentait de rétablir un semblant d'ordre parmi les 6e que Saïd surexcitait avec talent.

– Mon Dieu, mon Dieu, mon Dieu, se lamenta aussitôt Mme Pérez. Moi, je ne peux pas travailler plus tard parce que mon fils…

– Mais il ne s'agit pas de faire des heures supplémentaires ! intervint le directeur. Il s'est probablement produit un accident dans le quartier, d'où ce bruit terrible !

– Un accident ? Mon Dieu, mon Dieu, mon…

– Du calme ! Je vais voir moi-même. Tout rentrera dans l'ordre très vite.

Le directeur revint quelques minutes plus tard, l'air ébranlé.

– En effet, on ne voit plus rien aux alentours… On dirait bien que la bibliothèque est entourée d'eau. Ça semble même assez profond !

– ON VA COULER ! hurla Saïd qui s'était approché discrètement pour écouter la conversation.

Il s'ensuivit un boucan phénoménal. Tout le monde se leva, se bouscula, s'apostropha. M. Daubigny frappait comme un fou dans ses mains, tandis que Sarah réclamait le silence à tue-tête.

Quand Gérard Patisson put enfin parler, il avait retrouvé sa voix et son sang-froid de directeur.

– Mes enfants, je suis responsable de votre sécurité et je ne vous laisserai pas sortir sans être sûr que vous ne courez aucun danger. Par ailleurs, je vous rappelle que la bibliothèque est un immeuble de trois étages, qu'elle ne peut donc pas flotter et encore moins couler. Dès que la lumière se rallumera dans le quartier, chacun rentrera chez soi.

Il se tourna vers Sarah.

– Pendant que j'essaye d'obtenir des informations, peut-être pourriez-vous leur lire une petite histoire, pour les faire patienter ?

– Bien sûr ! Que voulez-vous écouter, les enfants ? demanda Sarah.

Karim bondit, le doigt levé.

– *Tistou les pouces verts*, m'dame !

– Non ! *Une histoire dont vous êtes le héros !* rugit Turgut.

– *Titeuf,* hurla Kevin.

– On a qu'à jouer sur les ordis ! intervint Saïd.

Sarah le fusilla d'un œil si noir que le directeur jugea bon de s'interposer.

– Saïd, dans mon bureau.

– Mais quoi, m'sieur ? C'est pas moi, m'sieur ! J'ai rien dit, j'ai rien fait !

– Viens, tu m'aideras à examiner la situation.

– Ah ! D'accord. C'est sûr que tout seul, vous vous en sortirez pas.

De retour du bureau directorial, Gérard Patisson observa les 6e éparpillés dans le coin lecture. Les yeux dans le vague, les enfants voguaient sur la voix de Sarah et les mots de Sindbad le marin :

– « *On s'aperçut, dit-il, du tremblement de l'île dans le vaisseau, d'où l'on nous cria de nous rembarquer promptement, que nous allions tous périr, que ce que nous prenions pour une île était le dos d'une baleine* [1]... »

Le pied de Vishnou battait la mesure des phrases, tandis que Kevin se grattait la tête

---

1. Premier voyage de Sindbad, LXXIe nuit, *Les Mille et Une Nuits*, collection Trésors, Hachette Jeunesse, 1995.

comme pour y faire entrer *Les Mille et Une Nuits*. Marie Lou, Salima et Eunice, le dos au mur, les bras passés autour de leurs genoux, étaient suspendues aux lèvres de la bibliothécaire. Fatou s'était endormie, la joue écrasée sur le cartable de Rosalie. Karim, Jean-Henri, Turgut et Basile ressemblaient à des marionnettes tombées sur la moquette, à plat ventre, à plat dos, sur un coude ou les pieds en l'air. Mme Pérez avait sorti de la laine et des aiguilles d'une de ses poches de blouse et écoutait en tricotant une chose informe et multicolore. Même M. Daubigny avait desserré sa cravate. Un catalogue de composants électriques sur les genoux, il rêvait de Shéhérazade. Le directeur soupira et rompit le charme à contrecœur. Il apportait de graves nouvelles.

Dans le noir

Le directeur fut bref et direct. Plus de téléphone. Plus d'Internet. Aucune lumière en vue, même depuis le toit de l'établissement où il était monté avec Saïd. Ils avaient aussi essayé de sonder l'eau avec un balai depuis le perron : pas moyen de toucher le fond.

Lorsque le directeur se tut, il y eut un bref silence abasourdi. Les enfants se regardèrent, partagés entre la peur, la curiosité et l'excitation. Puis Mme Pérez, Marie Lou et Eunice fondirent en larmes. Des exclamations et des réclamations fusèrent. Sarah bondit alors sur ses pieds.

– STOP ! cria-t-elle. C'est interdit !

Interloqués, petits et grands se figèrent.

– Le règlement de la bibliothèque interdit de pleurer ! Il est également interdit de se plaindre, de râler et de démoraliser tout le monde !

– Sarah a raison, appuya Gérard Patisson. Pour l'instant, nous ne risquons rien, il nous suffit d'attendre tranquillement les secours.

Sarah se pencha alors à l'oreille du directeur et y chuchota quelques phrases rapides. Il hocha la tête en souriant.

– Madame Pérez, interrogea-t-il, c'est bien vous qui détenez la clé du placard à apéritifs ?

Mme Pérez s'essuya les yeux avec une lingette en microfibres et renifla.

– Ben oui, m'sieur le directeur.

– N'avons-nous pas quelques provisions pour la réception des auteurs jeunesse prévue la semaine prochaine ?

– Si, j'ai tout rangé ce matin.

– Dans ce cas, j'offre une tournée générale de jus d'orange et de cacahuètes !

Une ovation salua cette déclaration.

– Moi, j'peux faire barman ! trompeta Saïd. J'connais des mélanges détonants !

– Suis-moi, tu vas plutôt porter les bouteilles, commanda Sarah.

– Pfff, porter, porter… J'suis pas un âne, moi, râla le jeune homme.

– C'est vrai que les ânes ont de plus longues oreilles et la langue moins bien pendue, confirma la bibliothécaire.

Non loin du bureau de Sarah s'ouvrait une petite cuisine meublée d'une table, d'un évier et d'un frigidaire, où venait souvent déjeuner le personnel de la bibliothèque. Le placard à apéritifs contenait quelques réserves : des jus de fruits, quelques bouteilles de vin blanc mousseux, des sachets de cacahuètes salées et plusieurs boîtes de gâteaux secs.

Sarah piocha deux bouteilles de jus d'orange, une de jus de pomme, des cacahuètes, des biscuits et en chargea les bras de Saïd.

– C'est tout ?

– On garde le reste pour le petit déjeuner ! répliqua la jeune femme en disposant des verres sur un plateau.

– On va dormir là, m'dame ?

– Non, je plaisante. Mais on ne sait jamais…

– Moi, j'aimerais trop !

Sarah hocha la tête avec indulgence. Comme tous les gens du quartier, elle connaissait la vie difficile du jeune homme. Sa mère, morte peu après sa naissance, avait laissé à sa fille aînée la charge écrasante de nourrir et d'élever quatre petits garçons. Le père travaillait alors comme une brute, de chantier en chantier, parti avant l'aube, revenu à la nuit tombée. Un sombre lundi, la chute d'un échafaudage lui arracha à la fois son bras droit et sa dignité. Dès lors, sa main gauche ne lui servit plus qu'à ouvrir des canettes de bière et à distribuer des volées de claques. L'aînée chercha son salut dans le premier mari venu, les plus âgés des garçons s'enfuirent dès que possible. Saïd, lui, découvrit très tôt que l'école, puis le collège et la bibliothèque offraient un abri, de la chaleur, de la nourriture et de la compagnie. Qu'on exigeât en échange du travail scolaire et le respect d'un règlement lui semblait un inconvénient mineur, dont il s'affranchissait aisément.

L'horloge murale indiquait 18 h 15 et l'arrivée du goûter improvisé remonta grandement le moral des troupes.

— Aaahhh, j'avais soif, soupira Fatou.

Ses dizaines de petites tresses, chacune terminée par une perle de verre coloré, frémirent de satisfaction.

— Ch'on bons ches gâteaux, mâchonna Habib, un garçon dodu aux joues rebondies, en arrosant d'une pluie de miettes l'anorak de Turgut.

Ce dernier ne s'en aperçut pas, car il était trop occupé à faire un concours de rots avec Basile, mais Marie Lou et Eunice pouffèrent dans leur jus de pomme. L'insouciance des enfants parvint à dérider les adultes qui trinquèrent de bon cœur.

— À votre santé ! lança le directeur, en levant son verre. Et à celle des pompiers qui vont passer une bien mauvaise nuit !

— C'est sûr qu'ils vont pas chômer si toute la ville est dans le court-jus, soupira la femme de ménage. J'espère qu'il y a de la lumière, chez nous, pour mon fils.

— Haut les cœurs ! s'exclama M. Daubigny. Tant qu'on a de la lumière, on n'est pas les plus malheureux !

À cet instant, toutes les lampes s'éteignirent. Une obscurité totale noya la bibliothèque. Ce noir s'emplit de jurons bien sentis, de cris d'enfants, de rires nerveux, de chocs, de pleurs et de la voix de Sarah qui réclamait le calme et le silence, bon sang de bois !

Il fallut du temps avant que la jeune femme ne parvienne à se faire entendre.

— Que chacun reste à sa place ! Et ne criez pas, ça ne sert à rien. Quelqu'un aurait-il un briquet ou des allumettes ?

— J'ai arrêté de fumer… grommelèrent en chœur Gérard Patisson et le professeur de technologie.

— Moi, j'ai un briquet, m'dame ! rugit la voix de Saïd.

Et une petite flamme jaune illumina les ténèbres.

— Qu'est-ce que tu fabriques avec ce briquet ? ne put s'empêcher de demander Sarah.

— Ben rien, m'dame. J'en ai un, c'est tout, assura Saïd d'un air innocent. En plus, c'est un vieux, y a plus des masses de gaz.

Effectivement, la petite flamme vacillait déjà.

— Il faut vite trouver d'autres solutions ! s'inquiéta Sarah. Pourrait-on fabriquer une torche avec des journaux ?

– J'ai bien mieux ! s'exclama M. Daubigny. Dans mon cartable ! Où est mon cartable ?

Tout le monde se jeta à quatre pattes pour tâtonner le sol jonché de crackers écrasés et de jus renversé.

– Je l'ai ! cria Rosalie.

De ses bras minces elle traînait la lourde sacoche de cuir. M. Daubigny s'y plongeait quand le briquet de Saïd siffla, crachota et s'éteignit. Sarah coupa court à toute nouvelle expression de désespoir. Du côté du professeur, on entendit des cliquetis, un ronronnement et, tout à coup, une lumière d'un blanc bleuté traversa l'obscurité.

– Ah ! Ah ! Je savais que ce serait utile ! triompha-t-il.

– De quoi s'agit-il ? demanda Gérard Patisson.

– Des travaux pratiques des 5e : construction d'un circuit électrique avec LED et accumulateur à manivelle ! J'ai là vingt-quatre lampes de poche de construction artisanale mais parfaitement opérantes. Sauf celles de deux ou trois olibrius qui ont monté leur circuit à l'envers, mais ça peut s'arranger.

– Génial ! s'exclama Sarah. Vous nous enlevez une belle épine du pied, monsieur.

– Oh, c'est un bienheureux hasard, répondit le professeur, flatté. Mais… appelez-moi donc Yvon, suggéra-t-il en rosissant dans la pénombre.

– Yvon, tête de… murmura une voix sourde.

– Saïd ! siffla Sarah.

Un ricanement étouffé lui répondit.

– Puisque nous avons à nouveau de la lumière, intervint le directeur, nous allons faire le tour du bâtiment avec monsieur Daubigny – pardon – avec Yvon. Saïd nous accompagnera. Pendant ce temps, Sarah et madame Pérez pourraient installer les enfants, dans le cas, bien improbable, où notre attente se prolongerait ?

Sarah répartit les tâches : Jean-Henri, Habib et Vishnou furent affectés à l'éclairage. Ils reçurent chacun une lampe de poche pour les diriger au gré des besoins. Ils s'empressèrent de s'éclairer le visage par en dessous pour produire d'affreuses grimaces. Menacés de devoir céder les lampes à des élèves plus responsables – « Moi, m'dame ! Moi ! » clamèrent Turgut, Basile et Kevin, verts de jalousie –, ils promirent de s'appliquer.

– Nous allons installer un coin « filles » dans la salle de lecture des petits et un coin « garçons » dans celle des primaires, expliqua Sarah.

Des gloussements et des protestations saluèrent cette décision. Sarah les ignora.

– Eunice, Kevin et Fatou, aidez madame Pérez à rassembler les tapis de jeu. Salima, Marie Lou, Habib et Turgut, avec moi.

Ils se rendirent à la queue leu leu dans le coin des périodiques qui était pourvu de fauteuils confortables destinés aux lecteurs de journaux et de magazines. L'équipe de déménageurs en ôta les coussins et les rapporta triomphalement aux dortoirs improvisés. Les enfants se jetèrent dessus en criant de joie et d'excitation, dans une bataille de coussins brève mais intense. Les coussins furent ensuite disposés côte à côte, formant dans chaque salle un immense matelas.

– Comme il est un peu tôt pour se coucher, je vous propose de commencer vos devoirs.

– Oh non! Pas ça! On n'en a pas! répondirent en chœur les 6ᵉ F échevelés et débraillés.

– En plus, on n'a pas encore mangé, grogna Habib. On peut pas se coucher.

– Dans ce cas, ferons-nous une petite dictée tirée des *Mille et Une Nuits*?

– Non, non!

– Des jeux très calmes, alors?

– Oui, oui!

Des dizaines de mains impatientes se jetèrent alors sur un stock de jeux de société qui attendaient leur retour à la ludothèque.

La première nuit

Gérard Patisson, Yvon Daubigny et Saïd revinrent de leur ronde. Ils entraînèrent les deux femmes hors de portée de voix des enfants.

— Alors ? demanda Mme Pérez avec anxiété.

— Alors, rien. On ne voit rien, on n'entend rien, on ne comprend rien.

— Rien de rien ? insista Sarah.

— Non, le ciel est d'un noir d'encre. On n'aperçoit même pas un éclair dans le lointain. Pourtant nous avons tous entendu ce terrible coup de tonnerre !

— Si, on entend quelque chose, intervint Saïd. On entend l'eau au bas des murs.

— C'est juste, confirma le professeur de technologie. L'eau clapote en bas du perron et tout autour de la bibliothèque. C'est insensé, on se croirait sur une île !

— C'est génial, s'exclama Saïd.

— C'est affreux, gémit Mme Pérez.

— Tant que le niveau ne monte pas, nous sommes en sécurité, la rassura le directeur.

— Que fait-on pour les enfants ? interrogea Sarah. Nous avons préparé un couchage de fortune, mais ils n'ont pas dîné. Je crois qu'il faudrait à nouveau taper dans les apéritifs…

– Dans mon vestiaire, j'ai les courses pour mon fils, annonça Mme Pérez. Si ça peut dépanner, j'ai du pain, du poulet, des carottes, du fromage…

– C'est magnifique! s'enthousiasma Sarah. Mais… et votre fils? Quelqu'un pourra l'aider? Une voisine ou de la famille?

– Hé, non, le pauvret. Tant pis, il se débrouillera. Mais quand il est seul, il ne mange que des pizzas et ça, c'est pas bon pour la santé.

– Quel âge a-t-il, votre garçon? demanda poliment Gérard Patisson.

– Vingt-trois ans et demi, monsieur le directeur.

– Vingt… ah, quand même… Il est déjà grand!

– Moi aussi, je le voyais plus jeune, avoua Sarah.

– Oh, pour une maman, son fils, c'est toujours son petit! s'exclama Mme Pérez.

Sarah s'empressa de ramener la conversation au dîner.

– Nous devrions jeter un œil à vos provisions. Treize jeunes estomacs vont bientôt crier famine, sans parler des nôtres…

Comme il n'était pas question de faire rôtir le poulet, ils improvisèrent un pique-nique de sandwichs camembert-carottes, de crackers et de yaourts trouvés dans le frigidaire de la cuisine. Le tout arrosé d'eau et de jus de fruits pour les petits, d'une bouteille de vin mousseux pour les grands. C'était un repas frugal, mais tout était si inattendu, si inhabituel, que les convives ne s'en aperçurent guère.

Vers 21 heures, Mme Pérez insista pour que les enfants se rendent aux toilettes pour se laver les mains et le visage.

— Mais on n'est pas sales, se lamenta Habib, on n'a pas fait sport aujourd'hui.

— M'dame ! Y a Basile qui ouvre la porte pendant qu'on se lave, hurla Fatou tandis qu'Eunice et Marie Lou poussaient des cris stridents.

L'intervention de Sarah fit fuir le coupable qui jeta en rigolant :

— Hou, les cochonnes, elles mettent même pas de savon ! provoquant de nouveaux glapissements indignés.

Sous la houlette d'Yvon Daubigny pour les garçons et de Mme Pérez pour les filles, ce fut une partie effrénée de rigolades, de plaintes et de ronchonnements pour que chacun et chacune ôte ses chaussures, trouve sa place sur le grand matelas de coussins, se couvre de son manteau ou de son anorak, et s'allonge avec force coups de pied et coups de coude à ses voisins. Enfin, Sarah put reprendre la lecture des *Mille et Une Nuits*. Seule la fine lueur de sa lampe trouait la nuit noire. Peu à peu, les rires et les gigotements s'espacèrent, les respirations se calmèrent et le sommeil emporta l'un après l'autre les 6ᵉ F épuisés.

— « *Je ne vous dirais si je dormis longtemps ; mais quand je me réveillai, je ne vis plus le navire à l'ancre.* » *Là Shéhérazade fut obligée d'interrompre son récit, parce qu'elle vit que le jour paraissait* [2]*… »*

Sarah s'interrompit elle aussi. Dans le grand silence, elle perçut alors, provenant du coin des filles, un petit reniflement contenu. La bibliothécaire s'approcha à quatre pattes.

— Qui pleure ? chuchota-t-elle. C'est toi, Rosalie ?

Un sanglot étouffé lui répondit. De sa lampe, Sarah parcourut les corps allongés et remarqua les épaules frémissantes de Salima. Elle caressa la lourde chevelure noire et bouclée de la petite fille.

— Eh bien, ma cocotte, que se passe-t-il ?

— J'ai peur. Je veux rentrer chez moi voir ma mère, hoqueta Salima.

---

2. Deuxième voyage de Sindbad, LXXIIᵉ nuit, *op. cit.*

– Oui, je comprends, murmura Sarah. Dès demain, les pompiers viendront nous chercher et tu pourras retrouver ta maman. En attendant, je reste là pour veiller sur vous, ne t'inquiète pas.

Sarah tira de sa poche un mouchoir en papier, fit moucher la petite fille et embrassa sa joue humide.

– Dors maintenant…

Vers minuit, la loupiote de Gérard Patisson perça l'obscurité.

– Tout va bien ici ? demanda-t-il à voix basse.

– Oui, répondit Sarah, sur le même ton. Les enfants dorment. Madame Pérez aussi.

– C'est pareil du côté des garçons. Je fais un dernier tour puis j'irai m'asseoir dans un des fauteuils de l'entrée. Je vais lire un peu, je ne pourrai sûrement pas fermer l'œil.

– Moi non plus ! s'exclama Sarah. Dites, Gérard… vous croyez que demain…

– Évidemment, affirma le directeur. Les secours ne tarderont pas. Courage, ce n'est qu'un mauvais moment à passer, nous en rirons bientôt !

Vers deux heures du matin, Gérard Patisson s'endormit, le nez dans un polar. Sarah fut la dernière à succomber au sommeil. Quand son premier rêve commença, la bibliothèque voguait déjà, imperceptiblement bercée par la grande houle du soir.

Au large

Un rayon de soleil dardé sur ses paupières éveilla Sarah. Mais… Qu'est-ce qu'elle fabriquait, couchée de tout son long dans la salle de lecture ? Elle plissa les yeux, distingua les filles endormies en rang d'oignons et se souvint de tout.

Des cris retentirent soudain à l'étage :

– V'NEZ VOIR ! C'EST OUF ! C'EST TROP OUF ! M'sieur Patisson ! Sarah ! Les gars ! V'nez tous !

La tête de Saïd surgit à la porte, puis il repartit en cavalant, hurlant toujours :

– TOUS SUR LE TOIT !

Sarah se leva vivement. Marie Lou, Eunice, Rosalie et Salima la suivirent, pieds nus et ébouriffées. Dans le couloir, elles faillirent tamponner Gérard Patisson qui courait tout en enfournant sa chemise dans son pantalon. Jean-Henri, Vishnou, Habib et Turgut jaillirent du dortoir des garçons. Tous se ruèrent dans les escaliers qui menaient au dernier étage. Ils passèrent en courant devant le bureau du directeur, le cagibi des photocopieuses, la salle de reliure. Guidés par les cris de Saïd, ils montèrent quatre à quatre une volée de marches de béton, poussèrent la porte de fer qui donnait accès au toit terrasse, et…

La surprise cloua sur place les premiers arrivés. Ils furent bousculés par les suivants, pétrifiés à leur tour au seuil du toit. Les autres enfants arrivèrent un à un, puis Yvon Daubigny.

– Alors ? C'est ouf, non ? triompha Saïd.

Un grand silence lui répondit. Il ne fut rompu que par le « Mon Dieu, Mon Dieu, Mon Dieu » essoufflé de Mme Pérez qui les avait enfin rejoints.

– C'est grand, hoqueta Fatou.

– C'est beau, souffla Rosalie.

– C'est impossible, grogna Yvon Daubigny.

– Et pourtant… murmura Sarah.

Partout où portait le regard, on ne voyait qu'elle. La mer. Un océan d'un vert intense, le vert des grands fonds. Çà et là, quelques moutons blancs ourlaient la crête de vagues levées par un vent frais, chargé de sel et de senteurs marines. Sarah tourna lentement sur elle-même. À trois cent soixante degrés, la mer ne rencontrait que le ciel. Pas un nuage. Pas une terre.

Elle fut prise d'un léger vertige et, de sa main en visière, se protégea les yeux du soleil éblouissant.

— Je pense que je rêve, murmura-t-elle.

— Dans ce cas nous faisons tous le même rêve, dit Gérard Patisson. Je pencherais plutôt pour une hallucination collective. Peut-être les cacahuètes étaient-elles avariées ?

— Et si c'était un tsunami qu'avait englouti la ville ? suggéra Saïd.

— On verrait flotter des débris. Des immeubles émergeraient tout autour, objecta Yvon Daubigny en caressant son menton rêche. C'est insensé, mais force est de reconnaître que cette bibliothèque s'est déplacée !

— Elle se déplace encore, remarqua Gérard Patisson. Regardez ce sillage derrière nous.

Tous contemplèrent, abasourdis, la large trace que laissait derrière elle la bibliothèque, tel un paquebot fendant les flots.

— Tout de même, un bâtiment de cette envergure, partir ainsi à la dérive…

— Mon Dieu, mon Dieu, mon Dieu ! se lamenta Mme Pérez. C'est mon fils qui va s'inquiéter !

— Il doit y avoir une explication, coupa le professeur de technologie. Réfléchissons posément, scien-ti-fi-que-ment.

Cette invitation donna lieu à une avalanche de suppositions, toutes moins scientifiques les unes que les autres. Et si c'était quand Saïd avait claqué la porte ? demanda Karim, soulevant l'indignation du jeune homme. D'autres enfants, parmi lesquels Salima et Jean-Henri, soutinrent qu'il y avait eu un tremblement de terre, qu'ils en avaient perçu les vibrations. Mais Rosalie, Marie Lou, Eunice et Kevin n'avaient rien senti et pourtant ils étaient là aussi. Eux penchaient plutôt pour une inondation, une brusque montée des eaux du lac. Le lac est minuscule, protestèrent les autres, et la bibliothèque ne pouvant flotter, elle aurait dû être engloutie. Vishnou, Habib et Turgut étaient convaincus qu'il s'agissait d'un attentat mais la motivation des terroristes restait floue. Basile croyait dur comme fer que c'était un coup des extraterrestres, qui avaient décidé de noyer la Terre mais de les sauver eux, les 6e F, parce que... parce que. Fatou ne proposa rien, mais posa une question qui ramena le silence.

– Comment on va rentrer ?

Tous se tournèrent vers Gérard Patisson. Le directeur se gratta la tête, y trouva ses lunettes qu'il nettoya soigneusement avec un pan de chemise et reposa sur son nez, avant d'avouer :

– Je ne sais pas.

Il laissa son auditoire s'exclamer quelques secondes, leva la main et annonça d'une voix résolue :

– Je ne sais ni comment ni quand nous rentrerons chez nous. En revanche, je sais ce que nous allons faire maintenant.

Tous les visages étaient à nouveau levés vers lui, pleins d'espoir.

– Nous allons nous organiser pour vivre dans cette bibliothèque aussi bien que possible. Ainsi quand les secours arriveront, ce qui ne tardera pas, nous serons prêts et en pleine forme.

Sarah comprit aussitôt le plan du directeur : il ne fallait laisser aucune place au désespoir, le pire ennemi des sinistrés. Et pour cela il fallait s'occuper sans répit.

– Faisons plusieurs groupes chargés de tâches différentes, suggéra-t-elle. Par exemple, certains pourraient faire la liste de toute la nourriture disponible et la ranger à l'abri. Nous ne savons pas combien de repas il nous faudra tenir. Qui veut s'en occuper ?

– Moi ! s'écria Habib. C'est grave, la nourriture !

Kevin, Basile et Salima se portèrent également volontaires.

– Très bien ! approuva le directeur. Je pense qu'un autre groupe devrait faire le tour du bâtiment et rassembler ce qui pourrait nous être utile : du matériel de sécurité, d'autres coussins, etc.

– Nous, nous ! s'enthousiasmèrent Vishnou, Turgut, Basile, Jean-Henri et Fatou.

– Il faut aussi aérer les dortoirs et faire les lits, remarqua Mme Pérez. Peut-être aussi aménager un coin pour que les enfants puissent ranger leurs affaires ?

— Moi, je veux bien, se proposa Marie Lou qui rallia sa copine Eunice aux joies du rangement.

— Je voudrais y voir clair dans cette histoire de bibliothèque flottante, marmonna Yvon Daubigny. Y a-t-il dans vos rayons un ouvrage sur le calcul des positions en mer, les courants océaniques ?

— Essayez dans le secteur Commerce et Transports, peut-être aussi celui d'Astronomie... suggéra Sarah.

Karim leva un doigt timide.

— Et si on regardait les histoires de naufragés, comme *Robinson Crusoé* ? On trouverait peut-être des trucs pour s'aider ?

— Je peux chercher avec toi ? demanda aussitôt Rosalie.

— C'est une excellente idée, s'enthousiasma Sarah. Filez voir au rayon Géographie, récits de voyages et d'explorations. Quant à *Robinson Crusoé*, il vous attend en Littérature anglaise, puisque Daniel Defoe était un écrivain britannique. Mais avant de nous mettre au travail, je vous propose un petit déjeuner. Au menu : jus de fruits et biscuits secs !

Les enfants détalèrent aussitôt, ravis de la tournure de l'aventure. Sarah s'approcha de

Saïd qui s'était accoudé au garde-fou en béton, le regard fixé sur l'étendue miroitante.

– Ça va, Saïd ? On ne t'entend plus.

– J'regarde… La mer, évidemment que j'l'avais déjà vue. À la télé. Mais en fait, c'est vachement grand !

– Oui… Très grand… murmura Sarah en pensant aux étendues infinies dans lesquelles ils erraient.

– P't-ête qu'on va mourir noyés, déclara soudain Saïd, mais moi j'suis content de voir ça en vrai !

– Ne t'inquiète pas, je t'apprendrai à nager, répliqua Sarah, la gorge serrée.

– C'est vrai, m'dame ? J'aimerais trop ! Pis à faire de la plongée aussi, avec des bouteilles.

– D'abord la brasse, rigola Sarah. Viens, allons nous occuper des petits…

Travail d'équipe

L'équipe « Récup » fit du bon boulot. Sous la conduite de Gérard Patisson, Vishnou, Turgut, Basile, Jean-Henri et Fatou explorèrent chaque pièce, ouvrirent avec délectation chaque placard, fouillèrent chaque tiroir de chaque bureau. Ils durent faire plusieurs voyages pour rapporter leur butin dans le hall d'entrée et exposèrent leurs découvertes avec enthousiasme.

– Une hache, pour se défendre si on est attaqués par des pirates ! annonça Basile en brandissant l'outil.

– Ou pour couper du bois, rectifia Gérard Patisson en récupérant prudemment la hache d'incendie.

– Un briquet qui marche, triompha Vishnou.

– Et des rideaux pour faire des couvertures, exposa Fatou.

– Ou des voiles, précisa Jean-Henri.

– Ou des habits, ajouta Turgut.

Les rideaux en question étaient ceux de la salle de projection, de longs pans d'une épaisse toile de coton bleu nuit.

– On a pris aussi les cordons, comme ça on a plein de ficelles !

– Ah, ceci est précieux ! dit le directeur, en ouvrant une épaisse valisette de plastique noir.

C'était une boîte à outils bien garnie qu'un ouvrier avait oubliée dans la chaufferie.

– En effet, elle sera fort utile, se félicita Yvon Daubigny. Il y a même une perceuse et une scie sauteuse !

– Mais il n'y a plus d'électricité, objecta Fatou.

– L'électricité, ça se fabrique, répondit le professeur d'un ton docte.

– Place ! Place au maillot jaune, cria soudain Saïd en déboulant de nulle part, juché sur un immense vélo blanc.

Il freina à la dernière seconde en dérapage contrôlé, laissant un large demi-cercle noir sur le sol.

– Mon vélo ! s'exclama Gérard Patisson.

– Mon carrelage ! protesta Mme Pérez. Si c'est pas malheureux, un sol tout propre d'hier matin ! Ce noir de caoutchouc, ça part plus, après !

– Il nettoiera, madame Pérez, dit le directeur d'un ton conciliant. Mais d'abord, il va nous expliquer d'où vient cet engin.

– Ben, j'l'ai trouvé à la porte de derrière.

– Exact. Il était attaché au portail. Avec un antivol… précisa le directeur, les sourcils froncés.

– Ben… heu… oui, mais ça peut nous servir, se défendit Saïd. Et puis il allait rouiller à l'eau salée! Un beau vélo comme ça.

– Saïd, tu… commença Gérard Patisson d'une voix glaciale.

– Permettez? le coupa Yvon Daubigny. Voyons ce vélo… Eh bien, nous l'avons, notre petite centrale électrique! Saïd, dans la trousse à outils, il y a sûrement un tournevis cruciforme. Passe-le-moi.

Trop heureux d'échapper à la colère du directeur, Saïd se précipita.

– Il me faudrait aussi un bout de câble électrique.

– D'accord, m'sieur Yvon. Un fil de projecteur, ça irait?

Pendant ce temps, l'équipe « Provisions » s'affairait en cuisine. Habib et Kevin avaient étalé les courses de Mme Pérez sur la table, y avaient ajouté le contenu des placards et du frigidaire et en dictaient la liste à Basile et Salima.

– Quinze sachets de thé aux fruits rouges, douze sachets de tisane verveine-menthe.

– Un poulet de sept cent cinquante grammes. Cru.

– Un pot de ri… de ri… de ri-illettes du Mans, déchiffra Habib.

– Des rillettes, quoi! se moqua Kevin.

Habib ouvrit le pot et flaira avec circonspection la fine couche de graisse blanche qui couvrait le pâté.

— Qu'est-ce que c'est ? Du porc ?

— Oui, hein, c'est pas de l'autruche !

— AAAH ! Moi, j'en mange pas, du porc ! C'est pas halal !

— Tant mieux, j'prendrai ta part, rigola Kevin. Marquez : un pot de moutarde forte presque plein.

— Un sac de pois chiches.

— Un kilo de lentilles vertes du Puy.

— Du puits ? demanda Salima qui tenait à son orthographe.

— On s'en fout, fit Kevin

— Du P-U-Y, précisa Habib.

— Cinq cents grammes de polenta précuite… 'Sais pas ce que c'est.

— C'est comme de la semoule.

— Ah bon. Du beurre. Pas beaucoup.

— Plus que trois boîtes de gâteaux, regretta Habib.

— Une grande bouteille d'huile d'olive. Une petite bouteille de vinaigre de vin vieilli en fût de chêne.

— Tu crois qu'il faut écrire tout ça ? s'inquiéta Basile qui tirait la langue sur cette dictée improvisée.

— Un demi-roquefort qui pue la mort, note bien, s'esclaffa Kevin.

– Quatre bouteilles de jus de fruits : une d'orange, trois de pomme.

– Trois bouteilles de vin blanc mousseux. Glups !

– Huit sachets de cacahuètes. Miam !

– Du flan au chocolat. En poudre. C'est bête, on n'a pas de lait, se désola Kevin.

– On pourrait essayer avec de l'eau ?

– Baah ! Ce sera dégueu ! J'en mangerai pas !

– Pas grave, j'prendrai ta part, se gondola Habib.

– Un croûton de pain.

– Un sachet de meringues.

– Trois carottes. Un peu molles.

– Quatre boîtes de concentré de tomates.

– Et dire qu'on n'a pas de spaghettis !

– Mais on a du riz : un sac de deux kilos. C'est bon, le riz à la tomate, avec des oignons, du paprika, des œufs…

– Arrête, Habib ! On a juste du riz même pas cuit et toi, tu nous donnes faim !

Le visage du garçon s'assombrit.

– Vous croyez qu'on va s'en sortir ? Qu'on va pas mourir de faim ? Ou de soif ?

– Peut-être qu'on sera obligés de se manger les uns les autres, suggéra Basile.

– J'propose qu'on bouffe d'abord Habib, pouffa Kevin. Rien qu'avec ses fesses, on tiendra une semaine en s'en foutant jusque-là !

La réponse fusa sous la forme d'un poing lancé en direction du nez de Kevin. Celui-ci amortit le coup de justesse avec un paquet de sucre qui creva sous le choc. Les deux s'empoignèrent dans un nuage de poudre sucrée, encouragés par les cris de Basile.

Le tintamarre attira Sarah qui sépara sans ménagement les adversaires.

– Qu'est-ce qui se passe, ici ?

– Kevin, y dit que j'suis gros, glapit Habib.

– N'importe quoi ! mugit Kevin. C'est lui qui veut pas me donner du flan !

– Non mais ça ne va pas, la tête ? Vous vous rendez compte de la situation ? Nous sommes en danger, chacun s'efforce de faire face et vous vous battez en gâchant une nourriture précieuse. Moi qui vous faisais confiance !

Rouges et penauds, les deux garçons se tortillaient sous le regard sévère de Sarah.

– Sauf le sucre, on a tout noté, plaida Kevin.

– On va ramasser, poursuivit Habib.

C'est alors que Salima fondit en larmes.

– Allons, je ne te gronde pas, lui dit gentiment Sarah.

– C'est pas çaaaa… Hier vous avez promis que les pompiers viendraient aujourd'huiiii, sanglota la petite fille. On est en dangeeeeerr et… et… et on va nous mangeeeer. Je veux ma mamaaaann !

– Quoi ? Comment ? Vous manger ? Qui a dit ça ?

– C'est Kevin et Basiiiiiile.

– C'est pas vrai, m'dame, c'était pour rigoler !

– Bon. Je pense qu'on a assez rigolé ici. Montrez-moi cette liste et nettoyez vos bêtises. Et tâchez de récupérer de ce bon sucre !

Mais où sommes-nous ?

– Rassemblement ! Tout le monde en salle de conférence. Les 6ᵉ, prenez vos cartables ! Les 6ᵉ !

Yvon Daubigny battait le rappel en frappant dans ses mains. Il fallut un bon moment avant que ses douze élèves remettent la main sur des affaires de classe dont ils avaient déjà oublié l'existence. Plusieurs minutes encore s'écoulèrent avant qu'ils ne soient assis et presque silencieux. Saïd et Mme Pérez s'étaient mêlés à eux sur les bancs de la petite salle de conférence. Gérard Patisson était assis à la tribune où Sarah déployait une carte du monde tandis que le professeur de technologie écrivait avec des feutres de couleur sur un tableau effaçable.

– Tout le monde est prêt à écouter ? N'est-ce pas, Turgut ? interrogea Gérard Patisson. Nous pensons qu'il est souhaitable que vous ne preniez pas de retard dans votre programme scolaire.

(Brouhaha. Tap tap tap du stylo du directeur.)

– Vous pourrez vous exprimer quand j'aurai fini, chacun à votre tour, en levant la main.

Nous allons donc faire comme si vous étiez en classe de découverte : vous aurez cours tous les matins de 9 heures à 11 heures, puis de 15 heures à 17 heures.

(Énorme brouhaha. TOC TOC TOC du stylo directorial. Silence empli de chuchotements dépités.)

– Le matin, monsieur Daubigny assurera le cours de technologie habituel, mais aussi les mathématiques et les sciences naturelles. (Soupirs bruyants dans l'auditoire.) L'après-midi, Sarah s'occupera du français – lecture et écriture – et madame Pérez a gentiment accepté de vous initier à l'espagnol.

– *Caramba*! Vous allez bosser, *amigos*! s'esclaffa Saïd.

– Saïd, l'apostropha Gérard Patisson, comme tu as largement acquis le programme de sixième, nous comptons sur toi pour apporter ton aide aux plus jeunes.

(Protestations énergiques de Saïd noyées par les éclats de rire de la salle.)

– Quelqu'un souhaite-t-il prendre la parole ? demanda le directeur. Oui, Kevin ?

– Est-ce qu'on aura des récrés ?

– Oui, une petite pause entre chaque activité, concéda Yvon Daubigny. (Murmures rassurés de l'auditoire.) Vishnou ?

– Y aura des devoirs le soir ?

– Bien sûr. Vous savez que c'est en s'exerçant et en revoyant les leçons que l'on progresse. (Grognements dubitatifs mais résignés.) Pas d'autres questions ? Eh bien, commençons par un exercice très utile puisqu'il s'agit de trouver où nous sommes ! Sortez vos cahiers et vos stylos. (Nouveaux grognements. Raclements. Tintements. Bruissements.) Je vous rappelle que la Terre est une sphère – une boule – qui tourne sur elle-même et fait un tour complet en 24 heures.

Tout en parlant, le professeur traçait un énorme rond au tableau.

– Nous pouvons noter les quatre points cardinaux qui sont… Turgut ?

– Heu… Le bleu, le rouge, le jaune et le… heu… le… ?

(Rugissements de rire.)

– Non, ça, ce sont les couleurs primaires ! Marie Lou ?

– Nord, sud, est, ouest.

– Bien.

Le professeur dessina en bleu les côtes de l'Europe, de l'Afrique et du continent américain. Au centre du rond il écrivit en lettres capitales : *OCÉAN ATLANTIQUE*. Enfin, au feutre vert, il ajouta des rayures verticales d'un pôle à l'autre, telles de fines tranches découpées dans un melon, et expliqua :

– Pour pouvoir se repérer facilement sur la planète, les navigateurs et les géographes ont découpé le globe en grands cercles imaginaires. Ces cercles verticaux, du nord au sud, sont les méridiens. Les cercles horizontaux sont les parallèles. Et comment s'appelle la ligne imaginaire qui coupe la Terre en deux hémisphères, le Nord et le Sud ?

— C'est l'équateur, murmura une petite voix.

— Bien, Karim, apprécia Yvon Daubigny sans se retourner. Et le nom des deux principaux parallèles qui l'entourent ?

— Les tropiques, m'sieur, poursuivit Karim, plus assuré. Le tropique du Cancer au nord et celui du Capricorne au sud.

(Rumeur d'admiration et d'envie dans la salle.)

— Trèèès bien, se réjouit le professeur, tout en traçant d'élégants parallèles sur le globe.

— Fayot ! susurra une voix à l'oreille de Karim.

— Kevin, tu copieras dix fois « Le tropique du Cancer et le tropique du Capricorne entourent l'équateur », énonça Yvon Daubigny.

(Explosion d'amertume chez le puni, quelque peu abrégée par la menace du doublement de sa peine. Rires des copains peu compatissants.)

— Bien. L'équateur représente la latitude zéro, à partir de laquelle on mesure les autres latitudes, vers le nord ou vers le sud. Ces latitudes se mesurent en degrés. Par exemple notre fameux tropique du Cancer, ici, a une latitude de 25° Nord. Pour les méridiens aussi, il existe un point de repère équivalent au zéro : c'est le méridien qui passe par la ville de Greenwich en Angleterre.

Yvon Daubigny repassa en rouge une ligne qui tranchait le melon à travers l'Angleterre, la France et l'Afrique de l'Ouest, avant de filer en direction du pôle Sud.

– À partir de ce méridien de Greenwich, on calcule la longitude d'autres points, vers l'ouest ou vers l'est. C'est clair pour tout le monde ?

(Brouhaha confus, d'où se détacha le « Oui » enthousiaste de Karim.)

– Donc je continue. Chaque endroit du globe peut être situé par sa latitude, qui est sa distance à l'équateur, et sa longitude, qui est sa distance au méridien de Greenwich. Vous me suivez ?

(Ronflement sonore.)

Yvon Daubigny se retourna, comme piqué par une guêpe. Il découvrit Mme Pérez qui dormait sur son pupitre, la tête au creux de son gilet roulé en boule. Le professeur pinça les lèvres avec réprobation. Sarah alla réveiller en douceur la brave dame.

– Oh, je suis bien désolée, bredouilla-t-elle. Faut pas vous vexer, c'est comme ça depuis que je suis petite. C'est pas que ça m'intéresse pas. Mais j'y peux rien, je m'endors. Avec la télé, c'est pareil, notez bien !

– Moi aussi, intervint Saïd, sauf pour la télé.

Ce ne fut pas une mince affaire de calmer le fou rire qui secouait les 6ᵉ F. Même Sarah et Gérard Patisson avaient du mal à garder leur sérieux. Finalement, le professeur de technologie autorisa Mme Pérez à tricoter pour lutter contre le sommeil, et la leçon put reprendre.

– Pour calculer précisément notre longitude, expliqua Yvon Daubigny, nous avons besoin d'un instrument appelé sextant, que nous allons devoir fabriquer avec les moyens du bord. Oui, Habib ?

– Je peux aller aux toilettes ?

– Merci pour cette intéressante question, grinça le professeur. Oui, sors. (Protestations des propriétaires de pieds écrasés par Habib en chemin.) D'autres instruments sont nécessaires à la navigation. Avez-vous des idées ?

Un bouquet de mains se leva.

– Un moteur, proposa Marie Lou.

– Des rames, dit Basile.

– Des voiles, fit Jean-Henri.

– Non, ça, ce sont des moyens de propulsion. Je pensais à des instruments qui indiquent la direction à prendre. Vishnou ?

– Un GPS, m'sieur.

– Oui, ce serait l'idéal. Malheureusement, le mien est resté dans ma voiture, sur le parking du collège. Pensez plutôt à un instrument des anciens marins…

– Une boussole ?

– Bravo, Rosalie. Fabriquer une boussole sera notre premier travail. Ensuite, vers midi, quand le soleil sera à son zénith, nous prendrons des mesures pour le calcul de notre longitude. À la nuit tombée, nous calculerons notre latitude grâce à l'Étoile polaire.

– Et si y a des nuages, m'sieur ? l'interrompit Saïd. Ça se couvre et j'entends de l'orage.

– Oh, je ne crois pas, le ciel est clair et…

Une ombre immense voila alors les fenêtres de la salle tandis qu'une vibration terrifiante secouait le sol.

– Qu'est-ce que…

– Oh ! Mon Dieu ! Mon Di…

– Accrochez-vous ! hurla Sarah.

Et le plancher commença à danser une gigue folle sous leurs pieds.

Le vaisseau fantôme

La salle de conférence bascula en avant, envoyant rouler cul par-dessus tête Gérard Patisson et sa chaise. Il s'effondra sur le professeur de technologie et l'entraîna dans sa chute. La seconde d'après, la salle s'enfonça vers l'arrière, presque à la verticale. Les cartables sautèrent au plafond dans un feu d'artifice de stylos, de cahiers et de livres qui retomba sur les enfants terrorisés. Mme Pérez roula sous sa table et reçut Jean-Henri et Rosalie sur le dos. Turgut et Karim, expédiés en vol plané, s'aplatirent sur la cloison du fond tandis que le tableau effaçable s'écrasait sur Marie Lou. Leurs cris étaient couverts par un rugissement assourdissant, qui grandissait sans cesse. Sarah, cramponnée à la tribune, parvint à rester debout et s'efforça de progresser vers les fenêtres. La salle tourbillonnait autour d'elle comme un manège de fête foraine, versant ses occupants d'un bord sur l'autre à chaque embardée.

Avec une souplesse de yamakasi, Saïd sauta par-dessus les pupitres et saisit la main de Sarah. Arc-boutés l'un sur l'autre, zigzaguant et trébuchant, ils réussirent à s'accrocher à un rideau. Par la fenêtre, Sarah vit un mur d'un noir d'encre, souligné de remous écumants, se dresser à quelques mètres d'eux. Elle ouvrit de grands yeux, sans comprendre.

– C'est un bateau, hurla Saïd à son oreille.

Était-ce possible ? Une coque gigantesque, haute comme plusieurs fois le bâtiment, qui emplissait tout le ciel ?

Un paquet de mer d'un vert glauque se fracassa sur la vitre avec un bruit terrifiant. Sarah se crut perdue. D'instinct, Saïd l'entraîna à terre. Ils se couvrirent la tête de leurs bras, en une illusoire protection. La fenêtre vibra comme un gong sous les chocs répétés. Par chance, elle tint bon.

Une éternité durant, l'immense coque noire longea la bibliothèque qui rebondissait comme un bouchon dans sa colossale vague d'étrave. Enfin, le vrombissement des moteurs géants décrut, laissant place à un concert de pleurs et de gémissements. Sarah se força à ignorer ces appels déchirants.

– Saïd, montons sur le toit ! Il faut faire signe à ce cargo. Vite !

La salle de conférence avait cessé de sautiller pour entamer une valse lente. Ils se ruèrent vers la porte en enjambant des corps emmêlés et meurtris.

Le navire s'était déjà éloigné d'une centaine de mètres et pourtant il les dominait encore, telle une montagne d'acier. Sa coque noire était surmontée d'un invraisemblable empilement de conteneurs multicolores, pareils à de gros Lego. Aucune silhouette humaine n'apparaissait sur le pont ou sur la tourelle blanche de commandement. Seul signe de vie, un radar tourbillonnait tout là-haut. Mais est-ce que quelqu'un regardait l'écran ?

Saïd et Sarah s'égosillèrent, sautèrent et agitèrent les bras jusqu'à ce que le gigantesque porte-conteneurs ait la taille d'un jouet d'enfant.

– C'est inutile maintenant, soupira Sarah.

Elle sentit le découragement la gagner et ravala les larmes qui lui montaient aux yeux.

– C'était quoi, ce bazar ? trompeta alors une voix dans son dos.

Habib venait de s'enfermer dans les toilettes quand le cataclysme s'était produit. Pendant de longues minutes, il avait été secoué comme un pop-corn dans sa boîte et copieusement aspergé d'eau de cuvette.

– Je me suis cogné, là, là et là ! Sûr que j'ai une bosse ! se plaignit-il.

Sarah se reprit.

– Vite, allons voir si quelqu'un est blessé.

– Moi, je suis blessé ! s'indigna Habib en lui emboîtant le pas. En plus, y a plus d'eau pour tirer la chasse.

Sarah s'arrêta si net que Habib la percuta.

– Aïe ! Ma bosse !

– Plus d'eau ?

– Ben, oui. Quand on tire, ça fait « Garglouchh » et y a rien qui coule.

– C'est une catastrophe… murmura Sarah d'une voix étranglée.

– J'ai quand même bien frotté avec le petit balai, la rassura le garçon.

La jeune femme prit le temps de lever les yeux au ciel puis repartit en courant.

Quelle pagaille dans la bibliothèque ! Des centaines de livres avaient dévalé les étagères pour voler à travers les salles et s'entasser comme des feuilles mortes dans les allées. Dans la salle de conférence, il y avait heureusement plus de peur que de mal. On déplorait quelques fronts cabossés, un coccyx douloureux, un doigt tordu. Yvon Daubigny, la boîte de premiers secours sur les genoux, distribuait de l'aspirine et de la pommade à l'arnica tandis que Mme Pérez séchait les derniers pleurs. En revanche, le directeur paraissait secoué, le visage caché dans ses mains.

– Gérard, ça va ? s'inquiéta Sarah.

– C'est ma faute ! explosa-t-il. Nous avons tous failli mourir par ma faute !

– Mais… mais…

– J'aurais dû y penser ! J'aurais dû m'en douter ! J'aurais dû surveiller, j'aurais dû…

J'ai fait de la voile dans ma jeunesse, je le sais, qu'il y a des bateaux sur la mer ! Tout cela est tellement inattendu et… extraordinaire, je… je…

– Gérard, les enfants nous regardent, chuchota Sarah.

Le directeur releva la tête. Dans une immobilité totale, quinze paires d'yeux étaient braquées sur eux. Il s'arracha un sourire crispé et fit mine de reprendre sa conversation.

– Tu disais ?

– Je… je disais ? bredouilla Sarah. Ah oui, je disais que nous allons manquer d'eau ! Les réservoirs des toilettes sont déjà à sec et je ne sais pas où…

– L'eau ! J'aurais dû y penser ! J'aurais dû…

– Gérard !

Sous l'œil noir de Sarah, le directeur stoppa la litanie de ses regrets. Il prit une grande inspiration, redressa le menton et s'écria :

– Tout le monde sur le pont ! Je veux dire : Tout le monde sur le toit !

Des quarts et des bidons

Clopin-clopant et reniflant, tous se retrouvèrent à l'air libre. Un franc soleil séchait déjà
le toit éclaboussé par les vagues et la mer étin-
celait, aussi vide et tranquille qu'aux heures
matinales.

Gérard Patisson monta sur une cheminée
d'aération et réclama l'attention.

— Mes chers enfants, mes amis! Nous avons
eu beaucoup de chance : ce cargo nous a évités
de justesse et personne n'est sérieusement
blessé. Toutefois nous avons tous eu peur et cet
incident doit nous servir de leçon. Je n'avais pas
pris la mesure de notre situation. C'est désormais chose faite. Aussi, si vous me conservez
votre confiance, je vous promets d'en être digne!

Les applaudissements furent spontanés et
nourris.

— Je vous remercie du fond du cœur, s'émut
le directeur. Nous allons reprendre notre destin
en main et, puisque désormais nous naviguons,
nous agirons en vrais marins.

— Bravo, capitaine! cria Saïd, aux anges.

Les autres attendirent prudemment de savoir ce que « en vrais marins » signifiait au juste.

— Nous allons établir un système de surveillance afin qu'il y ait nuit et jour quelqu'un à la barre, reprit le directeur galvanisé. Chaque équipe sera composée d'un adulte et d'un enfant. Vous êtes treize jeunes et nous sommes…

Sarah leva la main pour l'interrompre :

— Il me semble que Saïd vient de prouver son sang-froid et son courage. Je propose qu'il soit compté parmi les adultes.

Le directeur consulta l'auditoire du regard et, à l'applaudimètre, Saïd passa dans la catégorie « Grands ». Bizarrement il ne fit aucun commentaire et se contenta de brandir ses poings au-dessus de sa tête, tel un boxeur sonné mais vainqueur.

— Saïd, choisis un coéquipier pour le premier tour de garde. En langage de marin, cela s'appelle prendre son quart. Exécution.

— OK, cap'tain, répondit le jeune homme. Je choisis Rosalie.

L'intéressée tomba des nues. Les sourcils levés bien haut, elle se plaça aux côtés du jeune homme. Les commentaires allaient déjà bon train…

— Allons, un peu de sérieux, nos vies sont entre les mains des vigies ! réprimanda Gérard Patisson. Maintenant, passons à notre deuxième problème, peut-être le plus grave, c'est…

— La bouffe ? l'interrompit Habib.

– L'eau ! Car si on peut rester plusieurs jours sans manger, nous devons boire tous les jours, surtout avec ce soleil. Il est impératif d'économiser chaque goutte de liquide potable.

– Déjà, on va arrêter de se laver, se réjouit Jean-Henri.

– Nous devons réfléchir à toutes les sources possibles de boissons et nous préparer à recueillir de l'eau de pluie.

Rosalie intervint :

– Dans les récits de voyages, j'avais vu un livre d'un monsieur qui avait traversé un océan tout seul, dans un petit bateau. Je ne me rappelle plus son nom, mais il buvait de l'eau de mer et mangeait du plancton.

– C'est Alain Bombard ! *Naufragé volontaire* ! s'écria Sarah. Il faut retrouver ce bouquin !

– C'est quoi, du plancton ? demanda Marie Lou.

– Un poisson qui se planque tout le temps, affirma Vishnou.

– Le plancton, le reprit Yvon Daubigny, est un mélange d'algues, de crevettes et de poissons microscopiques.

– Si c'est microscopique, ça nourrit pas vraiment, se lamenta Habib.

– Sauf si on en consomme de très grandes quantités. C'est ce que font les baleines. Tu n'as pas plus d'appétit qu'une baleine, tout de même ?

– J'sais pas, moi. Ça dépend des baleines.

Tous se mirent en quête de boissons, excepté les vigies. Deux découvertes les attendaient. La première fut décevante : une bouteille de vin mousseux et la dernière bouteille de jus d'orange s'étaient fracassées lors du passage tumultueux du cargo. La seconde les réconforta largement : deux des chasses d'eau étaient encore pleines, ainsi que le réservoir du chauffe-eau. Au total 240 litres d'eau, soit une semaine de consommation à raison de deux litres par personne, estima Yvon Daubigny. « Plus qu'il ne nous en faut, les secours nous trouveront avant », assura le directeur. L'eau propre des chasses d'eau fut soigneusement transvasée dans un assortiment de récipients allant de la bouteille vide à la casserole, leurs réservoirs furent démontés pour servir de stockage d'eau de pluie. Enfin, un nouveau système de chasse d'eau fut installé : un seau en plastique, fourni par Mme Pérez, qui fut solidement attaché à une longueur de cordon à rideau. Il suffisait de le jeter par la fenêtre des toilettes, de le remplir d'eau de mer, puis de le déverser dans la cuvette pour obtenir un effet trombe tout à fait satisfaisant. Les enfants essayèrent un à un cette technologie hautement écologique, non sans doucher leurs chaussures au passage.

Il fut ensuite décidé de sacrifier les rideaux pare-soleil de la salle des périodiques pour en faire des « ramasse-pluie ». En effet, leur tissu épais était enduit d'une fine couche de caoutchouc propre à laisser ruisseler un maximum d'eau. Ils furent démontés et hissés sur le toit avec les lourds réservoirs des toilettes. Gérard Patisson donna le signal de la pause lorsque autour de lui les estomacs grondèrent en chœur.

– Que va-t-on donner à manger aux enfants, cette fois ? s'inquiéta Sarah.

– Et si on cuisait mon poulet ? proposa Mme Pérez. Ce serait dommage de le laisser perdre, c'est du poulet fermier.

– Ouais ! On pourrait faire un genre de paella avec le riz, la sauce tomate et les pois chiches, renchérit Habib.

– Dans ce cas, je pourrais bricoler une sorte de barbecue, proposa Yvon Daubigny. Dans les réserves, j'ai vu une armoire en métal brut qui résisterait au feu. Mais il faut du combustible…

– Ah ! Ah ! C'est donc l'heure d'affûter la hache d'abordage, fit Gérard Patisson en se frottant les mains.

Suivi par le regard soucieux de Sarah et précédé d'une horde de garçons enthousiastes, le directeur partit à grands pas bûcheronner dans sa bibliothèque.

– Il nous faudra un plat, nota Habib, déterminé à suivre la paella de près.

— J'ai vu un grand moule à tarte dans la cuisine, lui répondit Mme Pérez, enchantée d'avoir recruté un marmiton.

Ils s'éloignèrent en discutant avec animation pour savoir si, oui ou non, les pois chiches avaient le temps de tremper avant qu'on les cuise.

Un passager clandestin

L'armoire-barbecue fut allongée derrière un muret de briques, à l'abri du vent. Armé d'un tournevis et d'un marteau, Yvon Daubigny la dépouilla de ses portes et de ses étagères, puis il perça des trous d'aération sur le pourtour du caisson. Il y déposa deux parpaings trouvés sur le toit et deux montants découpés à la scie dans une rambarde d'escalier. Saïd suivait l'opération avec intérêt.

— Avec une broche, on pourrait faire un méchoui, commenta-t-il.

— Tout à fait. Il nous manquerait juste un mouton.

— On pourrait faire du méchoui de dauphin ou de baleine.

— Manger un dauphin ? T'es malade, toi ? l'apostropha Rosalie.

C'étaient les premières phrases qu'elle adressait au jeune homme depuis le début de leur quart, malgré les tentatives de Saïd pour lancer la conversation. Il s'apprêtait à lui répondre vertement quand…

— Oh, les jeunes ! Qui surveille l'horizon pendant que vous vous disputez ?

Gérard Patisson était réapparu sur le toit, la hache à la main.

Surpris, Saïd se figea dans une sorte de garde-à-vous dégingandé.

— Vous bilez pas, m'sieur, on surveillait bien. D'ailleurs on n'a rien vu.

— Chaud, devant ! V'là de la braise ! cria alors Kevin en versant un paquet de petit bois sur les pieds du professeur de technologie.

Vishnou y ajouta un fagot de branches anormalement lisses et droites et un gros annuaire.

Le directeur consulta sa montre.

— Treize heures, déjà ! Vous avez mérité de vous reposer. Je prends le quart suivant. Et comme équipier je choisis… Vishnou.

Secrètement flatté d'avoir été sélectionné par le directeur, le garçon râla pour la forme.

— J'm'installe où ? grommela-t-il.

— Eh bien, si tu n'as pas le vertige, tu peux monter sur cette dunette, proposa Gérard Patisson en indiquant un bâtiment de briques d'environ deux mètres de haut, construit sur le toit terrasse pour supporter antennes et paratonnerre. Tu auras une vue formidable sur les alentours.

Vishnou haussa les épaules avec suffisance et se mit à escalader le réduit tandis que dans son dos Kevin chantonnait : « Spider Cochon,

Spider Cochon, il peut marcher au plafond. Est-ce qu'il sait faire une toile ? Bien sûr que non, c'est un cochon[3] ! »

Vishnou fit un rétablissement sportif sur la dunette et s'écria :

– Oh ! Y a un oiseau, ici !

Aussitôt, une foule de curieux s'agglutina au pied du réduit.

– Il est mort ?

– Non, y bouge.

– C'est quoi, comme oiseau ?

– Un pigeon.

– Qu'est-ce qu'y fait ?

– Rien. Il est couché sur un petit tas de branches.

– Son nid, sans doute. C'est probablement une femelle, conclut Gérard Patisson. A-t-elle l'air effrayée ?

– Pas trop. Plutôt l'air pas en forme.

– Elle a sûrement soif. Et faim aussi. Basile, cours chercher de l'eau et de la nourriture à la cuisine. Demande à madame Pérez.

– Elle a bougé, s'exclama Vishnou. J'crois qu'elle a des œufs !

– La pauvrette n'a pas voulu abandonner sa couvée et s'est retrouvée, comme nous,

---

3. « Spider Cochon », chanson de Homer Simpson in *Les Simpson : Le Film.*

embarquée dans cette drôle d'aventure… soupira le directeur.

– Ça se mange, ces œufs-là ? interrogea Turgut.

– Les pigeons sont plutôt réputés pour leur chair, expliqua Gérard Patisson. J'en ai souvent mangé car mon grand-père, dans le Nord, élevait des champions pour participer à des courses. Ceux qui arrivaient en retard finissaient à la casserole, avec des petits pois.

Basile revint au galop avec un bol d'eau et un croûton de pain. Ils furent transmis à Vishnou.

– Pose le bol près de son bec, conseilla le directeur. Est-ce qu'elle boit ?

– Non. Elle a l'air super fatiguée.

– Ne bouge pas, j'arrive, commanda Gérard Patisson.

Il revint bientôt avec une chaise sur laquelle il grimpa.

La femelle pigeon était en piteux état. Sa tête bleutée dodelinait d'épuisement et ses ailes cendrées, barrées d'une double bande noire, pendaient dans la poussière. En voyant s'approcher la grande patte humaine, elle eut un soubresaut mais retomba sans forces. Gérard Patisson souleva délicatement sa tête légère et entrouvrit son bec. Du bout de son index trempé dans l'eau, il y fit tomber une goutte.

Par réflexe, l'oiseau déglutit. Le directeur recommença, encore et encore.

— Elle boit! triompha Vishnou à l'intention des visages impatients levés vers lui.

— Je crois qu'elle peut boire seule, maintenant.

En effet, le pigeon plongea son bec gris perle dans le petit bol et but en se rengorgeant.

— Nous la sauverons peut-être. Pour eux, en revanche, c'est trop tard… remarqua Gérard Patisson, en ôtant du nid deux oisillons à la peau nue et aux gros yeux noirs éteints.

— Y a deux bébés morts! transmit Vishnou d'un ton dramatique.

— Il faut la mettre à l'abri du soleil, annonça le directeur, lui trouver une petite boîte ou un panier, avec des chiffons.

— Je sais où y en a! hurla Basile en démarrant sur les chapeaux de roues.

Il revint promptement, brandissant un splendide panier d'osier garni d'un lit douillet de papier journal.

— C'est çui à madame Pérez, expliqua-t-il à la cantonade.

— *Celui de* madame Pérez, corrigea le directeur. Décidément, voilà une femme pleine de ressources!

Il coucha délicatement l'oiseau dans son nouveau nid et posa l'abreuvoir à portée de son bec. Puis il fit monter Basile sur la chaise et émietta un morceau de croûton dans sa paume.

– Maintenant, mon garçon, tu vas tâcher de nourrir cet oiseau. En douceur, bien entendu.

Basile endossa sa nouvelle responsabilité avec un immense sérieux et se pencha en murmurant des mots tendres au pigeon perplexe.

Mieux vaut
du poulet
tard que jamais

Il était bien trois heures de l'après-midi quand enfin la paella fut servie. Le bois des vieux bancs débités par Gérard Patisson était si sec qu'il brûlait vite et fournissait peu de braises. Ils faillirent calciner le poulet mais eurent toutes les peines du monde à faire bouillir l'eau du riz. Tout de même, grâce à l'ingéniosité de l'équipe « Cuisine », dix-sept assiettes furent généreusement garnies. Certains déjeunèrent sur le toit, assis à l'ombre, d'autres remirent en place les tables et les chaises de la salle de lecture et s'installèrent confortablement.

Mme Pérez s'épongea le front et déboutonna sa blouse.

— Mon Dieu, mon Dieu, cette chaleur, soufflat-elle. On ne se croirait jamais en février !

— Oui, c'est vraiment étrange, répondit Sarah. Depuis que nous sommes… heu… partis, la température n'a cessé d'augmenter.

— Il est certain que nous nous dirigeons vers le sud, confirma Yvon Daubigny. Mais à quelle allure ? Là est la question.

— Comment vous savez qu'on va au sud ? interrogea Jean-Henri, assis près d'eux.

— Eh bien, si l'on a la chance d'avoir une montre à aiguilles, comme la mienne, on l'oriente de façon à viser le soleil avec la petite aiguille, celle des heures.

Le professeur défit son bracelet de cuir et posa la montre à côté de son assiette.

— Le sud est indiqué par la ligne qui passe pile entre cette petite aiguille et le chiffre 12. Là, vois-tu ? En face du sud se trouve le nord, évidemment.

— Ça marche à tous les coups ? s'extasia Jean-Henri, bluffé.

— Oui, pour l'hémisphère Nord.

— C'est qui, ça, les Miss Fernor ? demanda le garçon.

Au regard de l'enseignant, il sut qu'il avait gaffé.

— Où étais-tu, ce matin, pendant la leçon ?

— Ben… j'étais là.

— Ton corps probablement. Ton cerveau, c'est moins sûr. Comme punition, tu vas…

Le pâle visage du garçon se figea dans l'attente de la sentence.

— Tu vas prendre cette montre avec le plus grand soin et aller expliquer à tes camarades comment on trouve les points cardinaux.

La lumière se ralluma dans les yeux bleus de Jean-Henri.

– Ouais ! D'accord, m'sieur. J'y vais.

– Attends ! Fais très attention à cette montre. Tu as compris que nous en avons grand besoin.

– Oui, m'sieur. J'vais la mettre à mon bras.

– Et parmi tes collègues, tâche d'en trouver un, ou une, qui sache ce qu'est un hémisphère. Allez, file.

Le gamin s'évapora littéralement et la montre avec lui.

Yvon Daubigny croisa le regard souriant de Sarah.

– Il est rare que les punitions soient accomplies avec autant d'entrain, remarqua-t-elle.

– Oh, avec les 6e, c'est facile, répondit modestement le professeur. Ce sont de sympathiques petites personnes, assez grandes pour s'emparer du monde et assez proches de l'enfance pour garder cette vitalité pleine d'innocence.

Sarah ne put retenir un regard surpris.

– Je vous étonne ?

– Oui… Non ! Je veux dire… Il m'avait semblé que vous…

– Que je ne m'intéressais pas à eux, n'est-ce pas ? Ne vous inquiétez pas, je sais ce qu'on dit de moi : distant, renfermé, sévère. C'est une image fausse mais elle me protège comme une armure. Des élèves, des parents, des autres profs…

Yvon Daubigny s'interrompit brutalement. Sarah crut le voir rougir. Elle voulut alléger la conversation et choisit un sujet plus gai.

– Vous avez des enfants, sûrement ?

Cette fois, Yvon Daubigny pâlit.

– Oui. Éloi, un garçon de onze ans, qui est en 6ᵉ justement, et Annette, qui a huit ans. Mais j'ai divorcé et… je… je les vois très peu.

– Je suis désolée, murmura Sarah tout en se giflant intérieurement.

– Ce n'est pas grave, fit tristement Yvon Daubigny. Et vous-même ?

Ce fut au tour de Sarah de piquer un fard. Elle sentit le rouge escalader son cou, envahir ses joues, brûler ses oreilles et, toute cramoisie, répondit :

– Non.

– Ah.

Ils furent tous les deux extrêmement soulagés par l'arrivée de Rosalie et de Karim qui brandissaient comme des étendards *Naufragé volontaire* et *Robinson Crusoé* aux cris de : « On a trou-vé ! On a trou-vé ! »

Sac de nœuds

Le reste de l'après-midi fut bien rempli. Yvon Daubigny constitua une équipe de bricoleuses et de bricoleurs et les entraîna au rez-de-chaussée pour des travaux pratiques. Sarah, Mme Pérez et le reste de la bande remirent de l'ordre dans la bibliothèque dévastée. Gérard Patisson prolongea son quart sur la terrasse, prenant des notes à tour de bras dans un grand cahier, en compagnie de Basile qui gardait un œil sur le pigeon et l'autre sur l'horizon.

Au soir tombant, les membres de l'escouade « Rangement » invitèrent le reste de l'équipage à admirer les petites cabines qu'ils avaient installées dans les salles de lecture. Pour cela, ils avaient traîné les étagères de la bibliothèque de manière à constituer des cloisons. Ces étagères étaient à peine plus hautes que Sarah mais, habilement disposées, elles procuraient une agréable impression d'intimité. Dans chaque petit dortoir des coussins et des tapis formaient deux, trois ou quatre lits selon les vœux des occupants. Chaque enfant s'était choisi un coin, l'avait garni de ses livres préférés, y avait rangé son cartable et ses vêtements. Marie Lou et Eunice avaient eu l'idée de décrocher certaines affiches des murs pour en garnir leur chambrée et lancé ainsi une véritable frénésie de décoration. Sarah et Mme Pérez partageaient donc, côté filles, une cabine toute fleurie de bouquets en papier crépon. Gérard Patisson et Yvon Daubigny trouvèrent la leur, côté garçons, ornée de dessins de chevaliers et de héros de mangas. Ils se montrèrent fort touchés de cette attention.

Puis ce fut au tour de l'équipe « Bricolage » d'exposer ses travaux parmi lesquels une magnifique boussole flottante, œuvre de Jean-Henri. Son aiguille était découpée dans une fine plaque de polystyrène. Elle supportait un petit aimant tiré de la serrure d'un placard. Cette aiguille aimantée flottait sur quelques centimètres d'eau, dans un bocal bien fermé. Au fond du bocal, on voyait par transparence une rose des vents coloriée en un dégradé de rouges, de roses et de gris, et annotée des points cardinaux et des azimuts : 0° pour le nord, 90° pour l'est, 180° pour le sud et 270° pour l'ouest. Jean-Henri fit la démonstration de l'instrument. Il tourna la rose en carton de façon à faire correspondre le nord avec la pointe de la flèche, et conclut sans hésiter que leur route les menait au sud-sud-ouest, azimut estimé 220°-230°. Ses copains en restèrent comme deux ronds de flan et Yvon Daubigny lui ébouriffa les cheveux avec satisfaction.

Les regards se tournèrent ensuite vers Salima qui leur présenta timidement le drôle d'engin qu'elle avait fabriqué. Il s'agissait d'un triangle de bois, dont l'une des pointes supportait plusieurs boulons, et auquel était attaché un gros rouleau de cordon.

— C'est quoi ce truc ? demanda Habib.

— C'est un loch, annonça-t-elle d'une petite voix.

— Plus fort ! crièrent ceux qui étaient derrière et se hissaient sur la pointe des pieds.

— Un loch, répéta-t-elle à peine plus haut.

— À quoi ça sert ? interrogea Turgut.

— À mesurer notre vitesse sur la mer.

— En milliers de kilomètres-heure ? s'esclaffa Kevin.

— Laisse parler Salima, le réprimanda Sarah.

— Ces boulons, là, c'est le lest, reprit Salima. Comme ils sont lourds, ils obligent la petite planche à se tenir debout dans l'eau. À l'autre bout, j'ai attaché la ficelle qu'on a prise aux rideaux. J'y ai fait des nœuds, en mesurant bien 14,4 mètres entre les nœuds. C'était pas facile !

— Comment ça marche ? ne put s'empêcher de demander Vishnou.

– Quelqu'un plonge le loch dans la mer en tenant bien la ficelle. Au « top », il la laisse aller en comptant les nœuds qui défilent, pendant que quelqu'un d'autre compte 28 secondes. Et voilà.

– Et voilà quoi ? s'énerva Kevin.

– Ben, on a la vitesse du bateau en nœuds, répondit Salima avec des larmes dans la voix.

Le professeur de technologie vola à son secours.

– Le nœud est la mesure de vitesse pour les bateaux. Il représente un mille parcouru en une heure. Car en mer, voyez-vous, on ne mesure pas la distance en kilomètres, mais en milles.

– En 1 000 kilomètres ? s'étonna Turgut.

– En mille nautique. M-i-l-l-e. Or, contrairement à ce que son nom indique, un mille ne fait pas 1 000 mètres, mais 1 852 mètres.

Turgut échangea un regard entendu avec Kevin tandis que le professeur poursuivait :

– Qui peut me dire combien de secondes compte une heure ?

– …

– Personne ? Karim ?

– Pfff, j'peux pas calculer aussi vite !

– C'est dommage, plaisanta le professeur. Une heure compte 3 600 secondes. Un nœud, qui représente un mille marin par heure, est donc égal à… à… ?

— 1 852 mètres en 3 600 secondes, s'écria Rosalie.

— Exact ! approuva Yvon Daubigny. Soit à peu près 14,4 mètres en 28 secondes. C'est ce que mesure ce loch.

— Mais vous savez donc tout faire, Yvon ! s'extasia Sarah pendant que les 6ᵉ ricanaient sous cape.

— Oh non ! se défendit celui-ci, l'air fiérot néanmoins. J'ai trouvé ces bricolages dans un excellent petit guide pour distraire les enfants en bord de mer.

— Avez-vous déjà essayé cet engin ? s'enquit Gérard Patisson.

— Oui, bien sûr. À 18 heures, nous avancions 2,5 nœuds. Ce qui est fort honorable pour une bibliothèque !

— Parfait, parfait, se réjouit le directeur. Je tiens à vous féliciter tous et toutes pour votre ingéniosité, votre courage dans l'adversité. Matelots, je suis fier de vous !

— Et qui c'est qui surveille la mer pendant que vous êtes là ? demanda Turgut.

Une nuit généreuse

Au grand désespoir de Sarah, les enfants eurent à nouveau faim. Et même une faim de loup, aiguisée par les émotions, le grand air et les activités de la journée. Mme Pérez ayant pris son tour de garde avec Marie Lou, Sarah se retrouva seule face à l'appétit de l'équipage.

– Misère de misère, que vais-je donner à ces enfants ? se lamentait-elle, debout devant le placard à provisions dont les stocks semblaient fondre comme neige au soleil.

Heureusement, Habib arriva à la rescousse.

– On pourrait faire une soupe ? Avec de l'eau de mer, comme ça elle serait déjà salée.

– Bonne idée, mais que va-t-on mettre dans l'eau ?

– Bof, un peu de tout. Les lentilles, les carottes, le reste du riz de midi, un peu d'huile, le fromage qui pue…

– Tu crois ?

– Oui, ma mère fait des plats comme ça, avec tous les restes. Elle appelle ça du gloubi-boulga. C'est toujours différent, mais quelquefois c'est bon.

– Eh bien, tentons notre chance. Mais…
demain ?

– Demain, on verra, affirma Habib. Je vais
chercher de l'eau.

– À chaque jour suffit sa peine, en effet,
murmura Sarah en coupant les carottes en
rondelles.

Le gloubi-boulga se révéla mangeable,
avec un arrière-goût marin. Il cala honnêtement
tous les estomacs, y compris celui du pigeon.
En guise de dessert, le ciel et la mer les régalèrent
d'un splendide coucher de soleil. Sur l'horizon
empourpré, la voûte céleste se drapa lentement
d'un subtil dégradé de bleus, de l'azur le plus
tendre à un indigo profond où pétillaient déjà
des étoiles.

Les yeux se voilaient et les mâchoires
bâillaient quand Gérard Patisson réclama un
dernier effort à l'équipage. Il se leva, son grand
cahier à la main.

– Encore un peu d'attention, s'il vous plaît.
J'ai noté ici le planning des quarts, expliqua-t-il.
La nuit, plus que jamais, nous devons rester
attentifs aux dangers mais aussi aux bateaux ou
aux avions qui pourraient croiser notre route
et nous sauver. Karim, qui est en train de lire
Robinson Crusoé, m'a fait justement remarquer
que, dans son île, Robinson tenait un tas de bois
prêt à flamber pour alerter les secours. Nous

en préparerons un demain. Pour cette nuit, les équipes de veille devront garder des braises dans notre barbecue et se tenir prêts à y jeter des quantités de papiers pour obtenir de grandes flammes. J'ai prévu des quarts de deux heures. À l'heure dite, chaque équipe ira réveiller la suivante et lui remettra ce cahier, qui est notre livre de bord. C'est un document très précieux. Nous le tiendrons chacun à notre tour et devrons y noter notre direction, celle du vent, notre vitesse, les événements survenus pendant notre quart, etc. Des questions ?

— Qui commence ce soir ? demanda Fatou d'une voix endormie.

— Toi, justement… Avec Sarah.

— Oh, là là… j'y arriverai pas…

— Tut tut tut, on va garder l'œil ouvert, et le bon ! affirma Sarah. Sais-tu jouer aux dames chinoises ?

Quand Yvon Daubigny et Turgut prirent la relève, à 23 heures, une grosse lune ronde était montée dans le ciel et y flottait comme un ballon. Elle dessinait sur la mer un large faisceau d'argent liquide. Turgut écarquilla des yeux pleins de sommeil.

— Purée, c'est vachement beau ! s'émerveilla-t-il. Et ça éclaire super bien !

— Je ne savais pas que tu étais poète, se moqua gentiment son professeur. Malheureusement, cette lune magnifique éclipse toutes les étoiles. Moi qui comptais sur l'Étoile polaire pour calculer notre latitude !

Turgut prit un air désolé mais se réjouit en silence d'échapper à un cours particulier d'astronomie.

— Est-ce que tu aimes pêcher ? lui demanda soudain le professeur.

— J'sais pas trop, j'ai pêché que des canards en plastique à la fête foraine.

— À ton âge, j'adorais ça. J'habitais à la campagne et dès que je sortais de l'école, je filais à la rivière ou à l'étang.

— Ben oui, mais là, c'est la mer et c'est la nuit.

— C'est encore mieux ! Figure-toi que la lumière de la lune attire les poissons à la surface…

À une heure du matin, Saïd et Basile, mal réveillés, se virent transmettre une ligne de pêche en fin câble électrique, armée d'un hameçon en aiguille à tricoter aiguisée et tordue. En prime, il y avait un bol de morceaux d'oisillons morts comme appâts, et un seau rempli d'eau de mer où barbotaient déjà une dorade, un mulet et deux bars.

À trois heures du matin, quatre maquereaux de bonne taille avaient rejoint les autres poissons.

Mme Pérez s'extasia sur cette pêche miraculeuse, mais Eunice refusa de s'approcher du seau. La lune partit se coucher, non sans que la petite fille ait appris le point mousse car Mme Pérez avait des aiguilles à tricoter et des pelotes de laine en réserve.

À cinq heures Gérard Patisson et Salima, bien emmitouflés, observèrent l'aube peindre l'orient d'aquarelle rose. Quand le ciel blanchit, Salima fit une démonstration du loch depuis le perron et le directeur nota dans le livre de bord :

Jeudi 14 février, troisième jour de mer, 6 h 15. Léger vent de nord-est. Mer calme. Naviguons au 240°, vitesse : 1,5 nœud.

La nuit a été tranquille. Magnifique pêche de huit poissons. Nous sommes pleins d'espoir.

Qu'y a-t-il dans un poisson?

Ils se réveillèrent tôt, tirés du sommeil par un soleil éclatant. Après un petit déjeuner qui engloutit les dernières bouteilles de jus de fruits et deux boîtes de gâteaux secs, Mme Pérez insista pour qu'ils se lavent les mains à l'eau de mer, bien que le savon n'y moussât guère, et pour leur donner à chacun un bon coup de peigne. Lorsqu'ils furent bien propres et présentables, Yvon Daubigny annonça que le cours du matin porterait sur l'anatomie des poissons. Les exercices pratiques consisteraient donc à disséquer un de ces bestiaux, à en extraire les viscères et à en étudier le squelette et les organes. Sur le perron de la bibliothèque, dont la mer léchait les dernières marches, il installa une table, aiguisa soigneusement quelques couteaux de cuisine et s'enveloppa la main gauche de chiffons. Ses élèves eurent beau pousser des cris d'horreur, le professeur tira la dorade du seau de pêche. Saisie par la queue, la dorade se débattit avec énergie. Son corps trapu projeta une pluie de gouttes et d'éclairs argentés dans le soleil du matin.

Le professeur coucha le poisson sur la table. Vif et précis, il lui trancha la tête au niveau des ouïes, expliquant qu'il coupait ainsi ses centres nerveux et lui évitait des souffrances. Rosalie épiait l'opération entre ses doigts écartés. Salima ravalait ses larmes. La dorade eut encore quelques soubresauts réflexes puis la vie la quitta.

Yvon Daubigny fendit le ventre du poisson et l'ouvrit largement aux regards. Eunice prit une jolie couleur verte et manqua rendre son petit déjeuner à la mer. Partagés entre le dégoût et la fascination, les autres se penchèrent sur l'intérieur mystérieux de l'animal.

— Alors, qu'observez-vous ? demanda le professeur.

— Du sang !

— Des boyaux !

— Des tripes !

— Ça pue !

— Alors, quels sont ces organes, à votre avis ?

— Heu… son estomac ?

— Ses intestins ?

— Son cerveau ?

— Son cerveau, comme pour la plupart d'entre nous, est dans le crâne ! ironisa le professeur. Cette poche est l'estomac. Là, les branchies, par lesquelles le poisson respire. Ici, vous voyez son cœur et son foie. Il contient un liquide très amer. Nous devons l'enlever pour qu'il ne donne pas mauvais goût à la chair.

– Pa… parce… parce qu'on va le manger après ? balbutia Eunice.

– Bien sûr ! Nos réserves de nourriture diminuent très vite et ces poissons sont vraiment les bienvenus.

– Oh, je ne pourrai pas avaler ça.

– Voyons, tu as déjà mangé du poisson ! Il y en a une fois par semaine à la cantine.

– C'est pas pareil. C'est du poisson tout carré, tout blanc, tout propre.

– Sans doute du colin ou du cabillaud, un poisson qui n'est pas très différent de celui-ci.

À cette pensée, Eunice frissonna.

– Que pensez-vous de ce petit ballon de chair, ici, sous l'arête centrale ?

– Il a avalé un chewing-gum ? proposa Kevin.

– Gros malin ! Il s'agit de la vessie natatoire : un petit sac rempli de gaz, qui permet au poisson de changer de profondeur sans efforts. Plus il gonfle sa vessie, plus il remonte à la surface. Plus il la vide, plus il descend vers le fond.

– En fait, il plonge en pétant, chuchota Kevin à l'oreille de Turgut qui pouffa et s'empressa de transmettre la blague à son voisin.

– Voilà, j'enlève ce long vaisseau rempli de sang noir, collé contre la colonne vertébrale, poursuivait Yvon Daubigny. Il ne reste plus qu'à laver cette belle dorade à l'eau de mer, à gratter ses écailles et à la cuire.

– On va la griller ? s'enquit Habib.

– Oui, c'est le plus simple. Maintenant, je vais zigouiller proprement le reste de notre pêche et vous viderez vous-mêmes ces poissons.

Les réactions allèrent du hoquet de frayeur au cri de dégoût en passant par la grimace de révulsion.

– Mes enfants, l'heure est venue d'apprendre que la nourriture n'apparaît pas par magie dans les supermarchés. La viande que nous mangeons vient toujours d'un animal que quelqu'un a tué.

– Je ne mangerai plus de viande, jamais. Je le jure, déclara Eunice, toute pâle.

– Qu'est-ce que tu mangeras alors ? demanda Fatou.

– Des Choco Smocks. Des pommes. De la salade.

– Ici ?

Du bras, Fatou décrivit un large cercle vers l'horizon. Tout autour d'eux, mouvant et scintillant, se déployait le grand océan.

– Moi, j'ai pas envie de mourir de faim, affirma-t-elle. Mon grand-père, au Sénégal, il est pêcheur. Quand les bateaux rentrent, il vide les poissons sur le sable. C'est pas difficile.

Elle s'empara d'un couteau, attrapa un bar au dos gris et planta sans hésitation la lame dans son ventre blanc.

Les femmes et les enfants d'abord !

Quand les poissons furent prêts et propres, les enfants, eux, étaient sales et sentaient affreusement la marée. Mme Pérez poussa des hauts cris devant leurs vêtements, leurs visages et leurs cheveux pailletés d'écailles. La puanteur était d'autant plus forte que la brise matinale était tombée et que la chaleur devenait accablante. La bibliothèque flottait mollement dans une mer qui semblait d'huile.

Debout sur le perron, Sarah considérait l'eau d'un vert cristallin, piquetée de rayons d'or. Elle souleva ses boucles brunes et s'aspergea la nuque. Depuis la veille, elle avait déjà abandonné ses bottes et ses chaussettes et ne portait plus qu'un jean et un T-shirt. Pourtant elle mourait de chaud.

– Si on se baignait ? demanda-t-elle tout à trac.

– Ici ? Au large ? Vous n'y pensez pas ! protesta Yvon Daubigny. Il peut y avoir des requins, des pieuvres, des méduses, que sais-je ?

— Il suffit de nager à tour de rôle et que quelqu'un surveille les alentours. Les enfants en profiteraient pour se rafraîchir et se laver.

— Mais… mais… c'est très profond !

Sarah lui jeta un regard moqueur et, d'un geste gracieux, déboucla sa ceinture, glissa son jean sur ses hanches. Les yeux d'Yvon Daubigny s'arrondirent comme deux jetons de loto. Vêtue d'une petite culotte noire et de son T-shirt rose, Sarah leva les mains au-dessus de sa tête, fléchit les genoux et plongea dans l'océan.

Le « plouf » ne passa pas inaperçu. Une dizaine de têtes apparurent aux fenêtres de la bibliothèque et à la rambarde du toit. Crawlant sur le dos, à quelques mètres du perron, elle leur fit coucou de la main.

— C'est Sarah ! Elle est tombée à l'eau !

— Non, elle nage !

— Elle est bonne ?

— Moi aussi, j'veux me baigner !

Les enfants arrivèrent en courant. La plupart d'entre eux étaient déjà pieds nus et ils se débarrassèrent de leurs vêtements en chemin. Kevin, en slip, dévala les marches du perron en éclaboussant alentour. Pourtant, au moment de s'élancer dans l'eau profonde, il hésita. Sarah se rapprocha d'un crawl vigoureux.

— N'aie pas peur. Imagine que tu es à la piscine, c'est juste un très grand bain.

— Mais y a des bêtes…

– Tu penses ! Avec le bruit qu'on fait, les poissons sont allés voir ailleurs.

– Vous me donnez la main ?

– Tu as besoin de tes deux mains pour nager. Je suis tout près de toi, il ne peut rien t'arriver.

– Vas-y, Kevin ! Tu pues trop des pieds pour les requins ! rigola Turgut.

– De toute façon, il est trop maigre, y a rien à bouffer dessus, lança Habib.

Furieux, Kevin voulut asperger les moqueurs mais il dérapa sur la dernière marche et, splaoutch ! bascula dans l'eau. D'abord il paniqua, saisi de vertige à imaginer les profondeurs sous ses pieds. Mais Sarah le guida vers les marches. Rassuré par ce point d'appui, Kevin se souvint qu'il savait nager. Bientôt, il nargua ses copains moins hardis.

Sous la surveillance étroite d'Yvon Daubigny sur le perron et de Sarah dans l'eau, les enfants se baignèrent avec délices. La brasse de Vishnou était encore maladroite, mais il s'élança courageusement. Basile et Marie Lou nageaient comme des poissons. Karim savait plonger en arrière. Les autres n'osèrent pas quitter l'abri des marches et barbotèrent, savourant la fraîcheur de l'eau, riant, criant et s'éclaboussant. Yvon Daubigny fut rapidement trempé comme une soupe. Il finit par ôter sa chemise pour la rincer et la tordre. Relevant les yeux, il pâlit soudain.

89

– Sarah ! Les enfants ! Sortez ! croassa-t-il d'une voix étranglée.

D'une main tremblante, il désigna deux ailerons triangulaires, gris et luisants, qui fendaient la mer. Rosalie poussa un cri perçant.

– Des requins !

Les enfants se mirent à hurler en chœur.

En deux brasses, Sarah rejoignit Vishnou qu'elle propulsa vers le perron, tira Kevin par un poignet. Yvon Daubigny attrapa les garçons et les arracha de l'eau d'un même élan. Déjà Sarah allait au-devant de Marie Lou qui s'étranglait de peur.

– Calme-toi. Respire. Tu y es.

– C'est bon, je les ai tous ! cria Yvon Daubigny. Revenez, Sarah ! Sortez !

Sarah n'était qu'à deux mètres de la dernière marche lorsqu'un corps gris et fuselé la frôla, l'évitant à la dernière seconde. Elle cria, avala une grande gorgée d'eau. Tétanisés, ses bras et ses jambes refusèrent d'obéir. Le second aileron gris surgit alors de l'eau, à portée de main.

Soudain, un immense sourire plein de dents jaillit de la mer. Sarah sentit son cœur exploser et s'évanouit. Elle flotta un instant, sa longue chevelure noire à la dérive, puis coula à pic. Aussitôt, le grand sourire plongea. Le professeur de technologie aussi. Incrédules, pétrifiés d'horreur, les enfants observaient la scène. Le tout n'avait pas duré dix secondes.

Le premier aileron vira, plongea à son tour. Et soudain, le corps inanimé de Sarah réapparut, comme soulevé par les bras de la mer. Yvon Daubigny barbota maladroitement dans sa direction.

– C'est pas des requins, s'exclama alors Turgut. C'est des dauphins !

Gérard Patisson et Saïd, arrivés en courant, confirmèrent. Les enfants passèrent de la terreur à l'enthousiasme.

– Regardez, ils la poussent avec leur nez.

– Incroyable !

– Ils sont apprivoisés ?

– Non, mais les récits de marins regorgent d'histoires de naufragés sauvés par des dauphins, expliqua le directeur. Ils se considèrent comme les amis des hommes. Nous le leur rendons bien mal, avec nos filets de pêche géants qui les capturent et les étouffent.

– Ça y est ! M'sieur Daubigny l'a attrapée ! Il la ramène !

– Courage, Yvon ! Vous y êtes presque.

Saïd et Gérard Patisson purent bientôt saisir les bras de Sarah et la tirer au sec. Couchée sur le côté, elle vomit de l'eau salée. Yvon Daubigny se hissa à son tour, à bout de souffle, sous les acclamations de ses élèves. Salima lui sauta au cou. Turgut et Eunice se pendirent à ses bras pendant que Vishnou lui tapait fraternellement dans le dos. Les deux grands dauphins semblaient partager la joie générale. Ils se livrèrent à une démonstration éblouissante de zigzags, de sauts et de cabrioles, leur belle peau bleutée ruisselante de lumière et d'écume. Les enfants applaudissaient chaque acrobatie et les dauphins s'en donnaient à cœur joie. Ils s'approchèrent du perron, tout sourires, cliquetant et sifflant. Des mains se tendirent, mais ils restèrent juste hors de portée.

Sarah reprenait ses esprits et s'assit en toussant. Gérard Patisson lui raconta son sauvetage. D'une voix enrouée, elle chuchota à son oreille. Le directeur sourit et il lui tendit un maquereau coupé en deux. Les dauphins cliquetèrent de plus belle.

– Merci, dit Sarah. Merci à tous les deux.

Elle lança un demi-poisson à chaque dauphin. Ils l'attrapèrent au vol et leur sourire sembla s'élargir encore.

Puis Sarah se tourna vers Yvon Daubigny occupé à vider l'eau de sa chaussure gauche. Il ne reverrait pourtant jamais sa chaussure droite, elle tourbillonnait à l'instant même vers les grandes profondeurs de l'océan.

– Permettez ? lui dit-elle.

Sans attendre de réponse, Sarah se haussa sur la pointe des pieds et l'embrassa au coin des lèvres.

Le professeur de technologie resta bouche bée, les yeux écarquillés, pendant de longues secondes. Soudain, il sembla sortir d'un rêve éveillé et fronça les sourcils avec férocité, prêt à affronter toutes les insolences.

Peine perdue. Touchés par la gravité de ce baiser, les enfants l'ignoraient consciencieusement.

Calme plat

Extrait du livre de bord, par Basile.
Jeudi 14 février, troisième jour de mer, 12 h.
Pas de vent. Mer très calme, vitesse : 0 nœud.
On dirait qu'on n'a pas bougé depuis ce matin.
Il fait drôlement chaud. La pigeonne va bien.
On l'a appelée Alizé, c'est le nom d'un vent, à ce
qu'il paraît. Les dauphins sont partis, mais
ils reviendront peut-être. Ils étaient très beaux
et très gentils, car ils ont même sauvé Sarah.

À son zénith, le soleil frappait sans pitié
l'océan, la bibliothèque et les crânes. Auprès
du fourneau où grillaient les poissons, il régnait
une chaleur d'enfer. La sueur dégoulinait le
long des flancs de Saïd qui, torse nu, surveillait
la cuisson.

Autour d'Yvon Daubigny, les 6e assistaient
à une tentative de mesure de la hauteur du soleil.
Le professeur n'avait pas abandonné l'idée de
calculer leur position et avait bricolé une sorte
de sextant avec trois crayons, des élastiques
et un rapporteur. Seul Karim semblait suivre
la démonstration, même Rosalie avait renoncé

à comprendre. Les autres n'avaient pas vraiment essayé. Ils se passionnaient pour le barbecue, rêvassaient en regardant l'océan ou encore échangeaient chatouilles et horions dans le dos de leur professeur.

— Mon Dieu, ces enfants risquent une insolation, s'inquiéta Mme Pérez tout en s'éventant avec un magazine.

— Quand j'étais gosse, on confectionnait des chapeaux de papier pour jouer aux soldats, se souvint Gérard Patisson. Je crois que je saurais encore...

Il s'empara d'une double feuille de journal, en rabattit soigneusement les coins, puis les bords, les tourna, les corna et déploya enfin une sorte de couvre-chef triangulaire dont il se coiffa.

— Très chic, apprécia Sarah.

— Vous pouvez m'en faire un ? réclama Habib dont les bonnes joues brillaient comme des pommes reinettes.

— À moi aussi ?

— Et moi, m'sieur ?

— Je vais plutôt vous enseigner la technique.

En quelques minutes, des chapeaux de papier naquirent sous leurs doigts. Ils raffinèrent le procédé en choisissant des journaux qui leur conféraient un cachet particulier. Turgut, Kevin, Vishnou et Jean-Henri dépecèrent *Auto-Moto News*. Marie Lou, Eunice, Rosalie et Sarah se coiffèrent de *Girly Mode*, Basile et Fatou de *Pas si bêtes !*, Mme Pérez préféra *Tricots d'aujour-d'hui*, Saïd, Salima et Karim choisirent la revue *Océans*, Yvon Daubigny la page Économie d'un grand quotidien.

— Il faudrait aussi ombrager cette terrasse, ajouta ce dernier. Nous pourrions tendre un auvent ou construire une sorte de pergola…

— Pourquoi ne pas faire d'une pierre deux coups avec les rideaux de la salle de conférence ? suggéra Sarah. Ils pourraient servir contre le soleil comme pour récolter l'eau de pluie.

— Très bonne idée ! s'enthousiasma le professeur. Il faudrait les fixer solidement, et prévoir un système d'entonnoir qui…

— À table ! cria alors Saïd.

Ils se précipitèrent vers les assiettes. Tous trouvèrent exquis les poissons grillés accompagnés de polenta, à l'exception d'Eunice qui en goûta un morceau microscopique et faillit tourner de l'œil. Mme Pérez eut pitié d'elle et lui accorda des rillettes de porc. Elle les mangea en essuyant les quolibets d'Habib et de Fatou qui lui décrivirent avec force détails, aussi sanglants que fantaisistes, l'exécution du « pôvre » cochon.

Après le déjeuner, une chaleur étouffante s'abattit sur les passagers de la bibliothèque. Pas le moindre souffle d'air pour rafraîchir leurs peaux moites, leurs fronts brûlants, leurs cheveux collés de sueur. Gérard Patisson s'en alla « réfléchir dans sa cabine », Mme Pérez ronflait doucement sous son parapluie ouvert. Les enfants s'étaient écroulés autour de Sarah qui comptait sur Sindbad le marin pour leur faire oublier la touffeur. Basile avait posé Alizé sur son épaule et le pigeon lui picorait les cheveux.

— « … *nous vîmes sortir une horrible figure d'homme noir, de la hauteur d'un grand palmier. Il avait au milieu du front un seul œil rouge et ardent comme un charbon allumé ; les dents de devant, qu'il avait fort longues et aiguës, lui sortaient de la bouche*[4]… »

Peu à peu, la voix de Sarah faiblit. Terrassée par la température et les émotions du matin, elle s'endormit. Fatou aussi, puis Salima, puis Jean-Henri, puis Habib, puis Marie Lou, puis…

Pendant ce temps, Kevin et Saïd montaient la garde. Pour lutter contre la torpeur, ils jouaient mollement aux dés.

Soudain Yvon Daubigny surgit sur le toit, portant à bout de bras le vélo blanc du directeur. Il le déposa en s'essuyant le front.

— J'ai eu une idée !

---

4. Troisième voyage de Sindbad, LXXVᵉ nuit, *op. cit.*

Les deux garçons se redressèrent, subitement ranimés.

– Plus que d'électricité, nous allons avoir besoin de poissons. De gros poissons. Il nous faut donc un moulinet.

– Quel rapport avec le vélo, m'sieur ?

– Le pédalier, mon garçon.

Yvon Daubigny retourna le vélo, roues en l'air, et actionna une pédale. La roue arrière tourna docilement, dans un sens, puis dans l'autre.

– Avec ce moulin-là, nous aurons beaucoup plus de force pour remonter à bord les gros calibres, expliqua-t-il. J'ai aussi trouvé un rouleau de câble d'acier, garanti incassable. Il faut maintenant le fixer à la roue pour qu'il se dévide et s'enroule sans anicroche. Voyons… Peut-être en démontant ce moyeu ?

Le monstre
des mers

Les dormeurs furent tirés de leur sieste par des exclamations et des appels à l'aide. Ils eurent la surprise de découvrir Yvon Daubigny, Saïd et Kevin arc-boutés contre la rambarde du toit, cramponnés à un cadre de vélo. Ils semblaient lutter contre une puissance invisible qui menaçait de les emporter par-dessus bord.

Sarah se frotta les yeux, incertaine d'être réveillée.

— Venez ! cria le professeur. On en a un énorme !

— Un énorme quoi ?

— Vite, aidez-nous ! Marie Lou, va chercher Gérard ! Allez, vous autres, on a besoin de tout le monde !

— La ligne va céder, cria Saïd.

— Il faut lui donner du mou. Tenez bon le vélo.

Des dizaines de mains s'accrochèrent au cadre métallique et tirèrent de toutes leurs forces. Yvon Daubigny en profita pour tourner lentement les pédales et dévider quelques mètres de la ligne. Le câble fonçait en ligne droite vers les profondeurs aquatiques.

– Qu'est-ce que… c'est que… ce machin? demanda Sarah, essoufflée.

– 'Sais pas, mais c'est du lourd! lâcha le professeur entre ses dents. On essayait la ligne. Même pas d'appât. Ça a mordu tout de suite.

– C'est pas un dauphin, tout de même? s'inquiéta Rosalie.

– Oh! Il a sauté! Il a sauté! rugit Saïd. Il a une grande pique!

– Un espadon! Pas possible! s'extasia Yvon Daubigny.

– Belle bête! apprécia le directeur arrivé entre-temps. Mon cher Yvon, jouez fin, sinon vous le perdrez.

De la mer sans rides jaillit une torpille d'un gris profond, à la nageoire dorsale crénelée, aux flancs métalliques et armée d'une lance acérée. L'espadon les fixa un instant de son large œil rond puis, d'un coup de reins spectaculaire, se cabra et disparut dans un geyser d'écume. La ligne qu'Yvon Daubigny s'était empressé de rembobiner se tendit en vibrant comme une corde de guitare.

– Le combat s'annonce titanesque, on se croirait dans *Le Vieil Homme et la mer*! jubila Gérard Patisson. Je vais chercher mes gants de cuir. Vous en aurez besoin.

– J'espère que l'histoire se terminera mieux pour notre pêcheur… murmura Sarah.

Une heure durant, ses mains gantées rivées aux pédales du vélo, les bras raidis de fatigue, Yvon Daubigny lutta pour approcher l'espadon de la bibliothèque, centimètre par centimètre. Afin de le protéger du soleil de plomb, Sarah tenait le parapluie de Mme Pérez au-dessus de sa tête. Saïd, muni d'un seau d'eau de mer, mouillait la ligne pour l'empêcher de s'échauffer. Le reste de la troupe scrutait la surface et commentait chaque saut du gigantesque poisson en abreuvant le pêcheur de conseils et d'encouragements.

– Tenez bon, m'sieur. Il fatigue, là, dit Karim.

– Moi aussi, grinça le professeur. Et j'ai soif.

– J'vais chercher de l'eau, bougez pas.

– Ça ne risque pas…

– Il pèse combien, à votre avis ? demanda Sarah.

– À vue de nez, je dirais bien cinquante kilos, estima Gérard Patisson.

– Cinquante kilos ? s'exclama Mme Pérez. Mon Dieu, mais que va-t-on faire de toute cette viande ?

– La manger ? proposa Habib.

– Bien sûr, mais il faudrait pouvoir en garder pour les jours à venir.

– On fait comme l'oncle Robinson ! intervint Karim. On la fume !

– Fumer du poisson ? C'est la moquette que t'as fumée ! rigola Saïd.

– Oh, toi ! Tu sais tout, mais en fait tu sais rien, explosa soudain Rosalie. Parce que tu ne lis jamais !

Saïd, estomaqué, resta le seau en suspens. Yvon Daubigny le rappela à l'ordre :

– Verse ! Saïd, verse !

– Karim, tu parles bien du roman de Jules Verne, *L'Oncle Robinson* ? intervint Sarah.

Karim baissa la tête. Rosalie le poussa du coude.

– Vas-y, dis-lui, c'est pas grave.

Sarah fronça les sourcils, soupçonnant une bêtise.

– Ouais, ben… *Robinson Crusoé*, c'était trop dur, finit par avouer Karim. J'ai pas réussi à tout lire.

La jeune femme éclata de rire.

– Il n'y a pas de mal à cela ! C'est un texte difficile. Peu d'adultes l'ont réellement lu, même si l'histoire est très connue.

– Moi, je n'ai même pas vu le film, confia Mme Pérez.

– Mais j'ai trouvé plein d'autres histoires de naufragés, s'enthousiasma Karim. J'ai presque fini *L'Oncle Robinson*. Après je commence *Deux ans de vacances*, une histoire d'enfants qui arrivent tout seuls sur une île après une tempête. Ils doivent se débrouiller contre des bêtes féroces, des bandits, tout ça.

– C'est aussi de Jules Verne, confirma Sarah. Il a encore écrit *L'École des Robinsons* et…

– Et que dit-il du poisson fumé ? coupa Mme Pérez.

Le garçon tira de son survêtement un roman un peu écorné, le feuilleta rapidement et lut :

– « *Avant de partir, Flip, sachant que Mrs Clifton avait l'intention de fumer les trois jambons de cabiai, installa un appareil propre à cette opération. Trois piquets réunis à leur extrémité supérieure comme les montants d'une tente, et fixés en terre par leur extrémité inférieure, formèrent l'appareil. Les jambons devaient être ainsi suspendus au-dessus d'un foyer de bois vert, dont l'épaisse fumée devait pénétrer leur chair.* »

Mme Pérez fit la grimace.

– Du bois vert ? Nous, on n'a que du banc sec !

Livre de bord, par Kevin.
Jeudi 14 février, troisième jour de mer, 18 h. Toujours pas de vent. Mer hyper calme, vitesse : 0 nœud environ.

Monsieur Daubigny a réussi à capturer le spadon, mais il a les mains toutes râpées et mal au dos (monsieur Daubigny, pas le spadon). Le spadon avait avalé tout l'hameçon et un grand bout de câble, et ça s'était piqué dans son estomac et c'est comme ça qu'on a pu le tirer. C'est trop compliqué de le fumer alors madame Pérez fait une montagne de grillades de spadon pour le dîner et du ragoût de spadon pour demain. Pas pour le petit déjeuner, j'espère. »

Un banquet d'*Homo sapiens*

L'espadon était vraiment un énorme poisson, long de deux mètres, rostre compris. Aidée de Fatou, passée maître dans l'art du tranchage, Mme Pérez découpa de larges steaks dans ses flancs. Ils furent aussitôt mis à griller. Des paquets d'algues s'étaient enroulés à la ligne de pêche : goémons bruns et laitue de mer d'un vert fluo. Sarah les recueillit soigneusement, les rinça et les prépara en salade avec une vinaigrette.

– Beurk, commenta Jean-Henri, ça a l'air dégue… heu… gluant.

– Possible, rétorqua Sarah, mais les algues sont riches en minéraux et en vitamines. Il faut absolument que nous en absorbions. Sinon, gare au scorbut ! C'est une maladie terrible : on perd ses dents les unes après les autres.

Jean-Henri préleva un bout d'algue entre deux doigts, se pinça le nez et l'enfourna dans sa bouche. Il mâcha longuement. Déglutit bruyamment. Tout à coup, il s'affala sur le sol et s'y tordit dans d'atroces convulsions, bavant et râlant à la mort.

— Il manque de la moutarde, c'est ça ?

Sarah rectifia son assaisonnement.

Jean-Henri retrouva sa mine habituelle aussi vite qu'il l'avait perdue.

— Non, ça va. C'est pas si mauvais, finalement. Mais moi, je mangerais bien un kebab avec du ketchup et du Coca.

— Et moi de la pizza, renchérit Eunice. Avec de la sauce tomate bien rouge et du fromage fondu. Hummm !

— Un steak avec des frites, ajouta Vishnou en salivant.

— Un sandwich grec et des carottes râpées, fit Basile d'un ton rêveur.

— Des îles flottantes au caramel, souffla Salima.

— Des fraises trempées dans le chocolat ! rugit Turgut.

— Pour moi, ce sera rôti de veau, champignons et pommes de terre nouvelles, intervint Gérard Patisson. Avec un petit vin de Cahors. Et vous, Sarah ?

— Je rêve d'un grand plateau de fromages, avec du pain frais, du beurre et de la salade verte, avoua la jeune femme.

— Quelquefois, le dimanche, mon fils et moi, on s'offre des brochettes de gambas à la sauce américaine, soupira Mme Pérez. Mon Dieu, le pauvre petit…

Gérard Patisson la coupa aussitôt :

— Savez-vous ce que nous ferons quand nous

retrouverons la terre ferme ? Non ? Eh bien, je vous inviterai tous au restaurant !

– Au restaurant ? Un vrai de vrai ? Pas un self ? s'inquiéta Habib.

– Le meilleur de la ville ! Chacun choisira son repas préféré : entrée, plat, fromage ET dessert, c'est moi qui régale !

– OUAIS ! Vivement qu'on arrive ! se réjouit le gastronome.

– En attendant, v'nez manger chez Saïd, y a de l'espadon tout frais et bien grillé, annonça le jeune homme.

– Pfff, j'en ai marre de manger du poisson, rechigna Karim.

– Moi aussi. J'ai même pas faim, grommela Marie Lou.

Gérard Patisson frappa son verre de la lame de son couteau, réclamant l'attention.

– Mes enfants, il est vital de bien manger. D'abord, nous avons besoin de nos forces pour affronter ce... cette aventure. Ensuite parce que nous ne pouvons pas conserver cette nourriture. Savez-vous ce que faisaient nos ancêtres *Homo sapiens*, les hommes sages, lorsqu'ils avaient abattu un gros gibier ?

– Ils bouffaient à s'en faire péter les boyaux ? suggéra Habib.

– Exactement ! Ils mangeaient autant que possible, stockant ainsi leurs provisions dans leur propre corps.

— Pas bête, reconnut Turgut.

— Sans aller jusqu'à l'indigestion, je vous invite donc à faire honneur à cet espadon qui m'a l'air excellent, ainsi qu'au pêcheur et au cuisinier !

Les applaudissements crépitèrent.

Yvon Daubigny, le dos en compote, renonça à s'incliner mais agita une main bandée. Sarah lui avait emmailloté les paumes de pommade et de pansements. Saïd, lui, salua comme au théâtre, balayant le sol d'un imaginaire chapeau à plumes, sous les ovations du public.

Il enjamba le banc, une assiette à la main, un éclat de rire à la bouche, et s'assit face à Sarah. Elle remarqua soudain qu'en trois jours le jeune caïd de quartier, pénible et torturé, s'était métamorphosé en un apprenti marin jovial, courageux, prêt à rendre service. « En voilà un qui n'avait besoin que de grand air et de liberté », pensa-t-elle.

Elle observa les autres passagers. Gérard et Yvon, chemise ouverte et mentons râpeux de rudes loups de mer, commentaient la prise de l'espadon comme un match de boxe. Salima surmontait bravement son inquiétude et riait d'une grimace de Fatou. Comme Marie Lou et Eunice, elles paraissaient détendues et mangeaient finalement avec appétit. Sous les chapeaux de papier bariolés, leurs cheveux flottaient au vent et leurs visages prenaient de jolies couleurs estivales. Basile nourrissait de miettes son copain le pigeon qui, perché sur son épaule, le faisait ressembler à un vieux pirate en herbe. Turgut tentait de piquer les fesses de Karim avec une grosse arête de poisson. Pour une fois respectueux des consignes, Vishnou et Habib s'empiffraient d'espadon grillé. Jean-Henri était de quart avec Mme Pérez, Sarah l'apercevait en faction sur la dunette. Mais il manquait quelqu'un…

— Où est Kevin ? s'écria-t-elle.

Un homme à la mer ?

Personne n'avait vu Kevin depuis… depuis… Depuis quand, au fait ?

Ce fut un fameux branle-bas de combat. L'équipage entier se précipita à la recherche du garçon. Ils coururent de pièce en pièce, appelant à tue-tête, ouvrant les placards et les réduits, soulevant les rideaux et les tapis. Ils explorèrent les toilettes, la cuisine, les coursives, les archives. Nulle trace de Kevin.

Ils se retrouvèrent dans le hall d'entrée, bredouilles.

— Et s'il était tombé à l'eau ? s'inquiéta Sarah, les traits tirés. Il a pu glisser du perron sans qu'on l'entende !

— Mais il n'avait rien à faire dehors tout seul ! s'exclama Yvon Daubigny.

— Vous connaissez Kevin. On ne sait pas ce qui lui passe par la tête…

— Les vigies l'auraient vu, tout de même ! s'exclama le directeur.

Sarah haussa les épaules. Elle se mordit les lèvres pour ne pas éclater en sanglots. Elle imaginait le garçon qui essayait de nager, appelait en vain, paniquait…

– Je ne me le pardonnerai jamais s'il… s'il…

Une petite main chaude vint se glisser dans la sienne.

– T'inquiète pas, les dauphins le ramèneront, lui murmura Salima.

Sarah hocha la tête avec un pauvre sourire.

– On va reprendre les recherches de zéro, assura Yvon Daubigny, ce fichu gamin doit bien être quelque part ! Est-ce que quelqu'un est allé en salle de reliure ?

– Oui !

– À la photocopieuse ?

– Oui !

– À la chaufferie ?

Pas de réponse.

Ils démarrèrent comme un seul homme, dévalèrent les escaliers quatre à quatre, s'engouffrèrent dans le couloir en se bousculant, manquèrent d'arracher la porte de la chaufferie et faillirent piétiner Kevin, recroquevillé par terre dans le noir.

Quelqu'un alluma une lampe de poche. Le garçon baignait dans un liquide sombre que Sarah, affolée, prit d'abord pour du sang.

– Kevin ! Tu es blessé ?

Elle tomba à genoux et s'aperçut qu'il était trempé d'eau.

– Oh, quel soulagement ! Mais qu'est-il arrivé ?

Kevin baissa la tête.

Yvon Daubigny s'aperçut alors que le garçon avait enfoncé son pouce dans le robinet du chauffe-eau.

– Que fais-tu avec ce réservoir ? Quelle est cette eau par terre ?

Pour toute réponse, Kevin cacha son visage de son bras.

– Allons, Kevin, dit fermement Sara, il vaut mieux tout expliquer.

– J'ai... j'ai voulu... faire une surprise pour... snirfl, pour le dessert, avoua Kevin, secoué de sanglots secs. J'voulais faire un flan au chocolat, snirfl, avec de l'eau. J'suis v'nu en prendre... pis après l'robinet, y s'fermait plus.

Ses sanglots redoublèrent.

– Ma casserole, elle débordait, elle débordait. Snirfl. J'osais pas laisser couler pour aller vous chercher, alors j'ai mis mon doigt pour boucher... Snirfl. Et voilà. Snirfl.

Gérard Patisson secoua la tête avec irritation.

– Ce serait juste idiot, si ce n'était pas aussi grave ! Tu sais que l'eau douce nous est comptée.

– J'm'excuse, m'sieur, bafouilla Kevin.

– Hélas, je ne suis pas le seul concerné. Tu diras ça à tes camarades quand ils auront soif !

Les enfants se mirent à chuchoter tout bas. Kevin n'osait plus lever les yeux. Yvon Daubigny resserra le robinet à l'aide d'une clé à molette et libéra Kevin. Puis il tapa sur le bidon de métal afin de déterminer, au son, le niveau de l'eau.

— Alors ? demanda anxieusement Sarah.

— Je dirai qu'il nous reste une petite centaine de litres.

— Ah ! C'est rassurant !

— Hm, si on veut… En comptant deux litres par personne et par jour, cela ne représente guère que trois jours.

— Non ! Trois jours, seulement ?

— Il faut nous rationner, décida Gérard Patisson. Tâcher de tenir avec un litre et demi par jour.

— Par cette chaleur, ce sera difficile, remarqua Sarah.

— Il faudra nous baigner pour nous hydrater, affirma le directeur. Rester à l'ombre le plus possible. Économiser nos forces.

— Attendre la pluie… murmura une voix timide.

— Salima a raison, le temps peut changer et nous devons être prêts à récupérer l'eau de pluie, confirma Yvon Daubigny.

— Y pleuvra jamais, vous avez vu le temps qu'il fait ? rétorqua Habib. J'suis dégoûté qu'on ait perdu toute cette eau, là, à cause de ce bouffon !

— Y a qu'à plus lui filer à boire ! cria Turgut. Ça lui apprendra !

Le directeur se redressa de toute sa hauteur et fixa l'assemblée d'un œil sévère.

– Je préfère oublier ce que je viens d'entendre, énonça-t-il gravement. Chacun d'entre nous peut faire des erreurs, à commencer par moi. Qu'une chose soit bien claire : nous sommes embarqués dans la même galère et nous n'en sortirons qu'en étant solidaires. Je pense que Kevin a conscience de la gravité de son geste. Cette punition est amplement suffisante.

Un silence lourd de ressentiment accueillit ces paroles. La peur de la soif était maintenant dans tous les esprits.

Avec une gaieté un peu forcée, Sarah s'exclama :

– Ces émotions m'ont ouvert l'appétit ! Je reprendrais bien un peu d'espadon !

Ils sortirent en file indienne de la chaufferie. Au passage, Turgut siffla à l'oreille de Kevin :

– Tu payeras ça, bâtard…

Livre de bord, par Karim.
Jeudi 14 février, troisième jour de mer, 21 h. Vent : 0. Mer : 0. Vitesse : 0. Réserves d'eau : bientôt 0 ? À la suite d'une erreur humaine, comme on dit dans les journaux pour ne pas parler de bêtise monumentale, on a perdu des dizaines de litres d'eau du grand réservoir. Cet après-midi j'ai lu Naufragé volontaire. *Alain Bombard*

y écrit : « Si l'on ne boit pas, la mort par dés-
hydratation survient en une dizaine de jours
suivant une courbe régulière. » Je ne sais pas ce
que veut dire « une courbe régulière », mais je
préférerais ne pas l'apprendre.

Bleu, vert, rose

Le dîner si joyeusement commencé s'acheva dans une atmosphère morose. Brutalement toute l'ampleur de la catastrophe parut s'abattre sur le petit groupe. Ils étaient bel et bien perdus en pleine mer, pratiquement sans eau ni nourriture, sans moyens de communication et sans guère d'espoir. En silence, chacun pensait à sa famille, à ses amis, à sa maison. La peine et l'inquiétude se lisaient sur tous les visages. Mme Pérez ne tarda pas à se tamponner les yeux et de grosses larmes dévalaient les joues de Salima. Sarah ne put retenir un profond soupir. Même Saïd, qui n'avait aucune envie de rentrer chez lui, s'abandonna à la mélancolie.

C'est alors qu'Yvon Daubigny réclama l'attention. Les convives levèrent sur lui des yeux las.

– Le soleil se couchera dans une heure environ, annonça-t-il. C'est plus qu'il n'en faut pour tendre les bâches qui recueilleront l'eau.

– Mais il pleuvra jamais, gémit Marie Lou en montrant le ciel d'un bleu implacable.

— Il n'y a pas que l'eau de pluie, répondit avec douceur le professeur. Il y a la rosée. Certaines nuits, à l'aube, l'humidité de l'air se condense sur les surfaces froides. Il existe des déserts où l'on recueille ainsi assez d'eau pour arroser des potagers. Il faut tenter notre chance.

— Pfffou, fit Habib en haussant les épaules.

— Encore un truc pour nous bourrer le mou, grommela Turgut.

— Soyez polis! cria soudain Sarah en tapant du poing sur la table si fort que tous sursautèrent. On vous donne un ordre, alors exécution!

L'assemblée regarda la jeune bibliothécaire avec stupéfaction. Plus aucune trace de désespoir n'assombrissait son visage. Ses yeux noirs brûlaient d'une indignation farouche. Saïd rigola doucement.

— Je serais vous, les gars, j'me grouillerais avant d'être descendus d'un regard-qui-tue.

La remarque arracha quelques sourires autour de la table. Comme par magie, les nuages de tristesse qui écrasaient les têtes et les cœurs se dissipèrent. L'équipage retrouva une énergie nouvelle. Des volontaires furent désignés pour la corvée de vaisselle. Les autres entreprirent de hisser les lourds rideaux caoutchoutés aux antennes du toit, comme à des mâts. Yvon Daubigny leur indiqua comment plier le bas des toiles en gouttière au-dessus des réservoirs.

Ils achevèrent leurs préparatifs à l'instant où le soleil plongeait vers l'horizon.

— Comme le ciel est clair ! C'est le temps idéal pour voir un rayon vert ! se réjouit le professeur.

— C'est un rayon bio ? demanda Jean-Henri.

— Non, c'est une légende, se moqua Sarah.

— Pas du tout, c'est un phénomène lumineux scientifiquement expliqué ! Il est dû à la diffraction de la lumière, qui en passant à travers une atmosphère très pure, ne laisse passer que les ondes vertes du spectre…

Devant leurs mines perplexes, l'enseignant s'interrompit.

— Bref, je ne veux pas gâcher la poésie de l'instant. Sachez seulement que durant quelques secondes un rayon vert apparaît au-dessus du soleil et traverse tout le ciel, un peu comme un laser.

— Waouh, j'aimerais trop en voir un ! s'enthousiasma Rosalie.

— C'est un phénomène rarissime… Mais puisque nous voguons sur une bibliothèque, après tout, pourquoi pas ? Soyez très attentifs, c'est rapide !

Accoudés à la rambarde du toit, les enfants écarquillèrent leurs yeux dans le couchant.

— Je vois du vert, là, s'exclama Marie Lou.

— N'importe quoi ! la contredit Saïd. C'est tout rouge. T'es daltonique, toi !

– Daltonienne, rectifia Karim.

– C'est pas rouge. C'est écarlate, orangé, mauve et rose, précisa Rosalie.

Saïd se renfrogna dans un silence boudeur.

– En fait, ça change tout le temps, observa Jean-Henri.

– C'est trop, trop magnifique, soupira Fatou.

Par-dessus la longue rangée des têtes alignées, Sarah et Yvon échangèrent un sourire attendri.

Ce soir-là, le soleil n'offrit pas de précieux rayon vert à ses admirateurs, mais une symphonie de pourpre et d'or qui illumina leur sommeil jusqu'au plus noir de la nuit. Bâillant et s'étirant, ils quittèrent un à un leur observatoire pour gagner leurs cabines. Au bas de l'escalier Mme Pérez, inflexible, les attendait pour les contraindre à un détour par la « salle de bains » où l'on se débarbouillait désormais à l'eau salée.

Sarah supervisa le coucher des filles, borda, embrassa, rassura puis rejoignit son propre matelas de coussins pour un repos bien mérité avant son tour de garde du petit matin. Elle se bricola un oreiller en pliant son jean dans son T-shirt et s'allongea dans un froissement de papier.

Intriguée par le bruit, elle se releva sur un coude et découvrit une enveloppe blanche glissée entre deux coussins.

– Vous avez du courrier ? interrogea Mme Pérez depuis le lit voisin.

Sarah ouvrit l'enveloppe. Il en tomba une pluie de roses de papier.

– Oh, comme c'est joli ! Mais… mais…

– Vous voilà avec un amoureux, gloussa Mme Pérez.

– Allons donc, se défendit Sarah. C'est juste un message d'amitié. Sans doute de la part des filles.

– Un autre jour, peut-être. Mais pas aujourd'hui.

– Pou… pourquoi ? bafouilla Sarah. Quel jour on est ?

– Le 14 février.

Voyant que Sarah ne réagissait pas, elle chuchota :

– La Saint-Valentin.

– Ooooh… Mais… qui ?

– Ah, ça, ma belle ! Vous avez l'embarras du choix, s'esclaffa Mme Pérez. Moi, j'ai ma petite idée…

Songeuse, Sarah regarda les roses comme si elles pouvaient lui livrer des indices. Elle remarqua qu'elles avaient été découpées dans un magazine de jardinage mais n'apprit rien de plus. Dans l'obscurité, la jeune femme passa en revue ses soupirants éventuels. Elle s'endormit, un sourire aux lèvres.

Rationnés

Livre de bord, par Turgut.

Vendredi 15 février, quatrième jour de mer, 00 h 45. Pas de vent. Mer tranquille, vitesse : je sais pas. Avec Saïd, on a oublié de compter la vitesse, mais faudrait être bête pour pas voir qu'on n'avance pas.

On a joué au morpion et à la bataille navale. J'ai gagné.

Livre de bord, par Fatou.

Vendredi 15 février, quatrième jour de mer, 6 h 00. Pas de vent. Mer lisse. Vitesse : 0 nœud. Le soleil est déjà drôlement chaud. On n'a rien pêché. J'ai fait des petites tresses à Sarah pendant qu'on surveillait la mer.

Livre de bord, par Yvon Daubigny.

Vendredi 15 février, quatrième jour de mer, 12 h 30. Pas de vent. Mer calme, vitesse : 0,1 nœud.

Le relevé de hauteur du soleil effectué à 12 h (AM) donne, avec la considérable marge d'erreur due à nos instruments de mesure

121

rudimentaires, une position approximative de 39° 43' Nord. Pourrions-nous vraiment être au large des Açores?

Nous n'avons pas récolté d'eau dans les réservoirs cette nuit.

– Les Açores! s'exclama Mme Pérez. Ce serait bien qu'on puisse s'arrêter, j'ai une cousine qui habite à São Miguel, dans la grande île!

– Oui, ce serait bien... soupira Gérard Patisson.

Les coudes appuyés sur la table de la cuisine, le directeur se massait le crâne, ce qui achevait de l'ébouriffer. Il avait la mauvaise mine du capitaine en charge d'âmes, et que de graves soucis empêchent de dormir sur ses deux oreilles.

– Les Açores... répéta-t-il. C'est insensé! Je ne comprends pas comment on a pu arriver jusque-là. Et en si peu de temps! C'est incroyable!

– Voilà pourtant deux jours qu'il n'y a plus ni vent ni courant, s'inquiéta Sarah.

– C'est que nous sommes dans le fameux anticyclone des Açores qu'aiment tant les présentateurs de météo car il leur permet d'annoncer du grand beau temps sur toute la France, expliqua le professeur.

– Cela peut durer longtemps? Nous n'avons d'eau que pour trois jours!

– Deux et demi maintenant, rectifia Yvon Daubigny.

– Il faut réduire encore notre consommation. Tâchons de nous limiter à un seul litre par personne.

– Et ensuite ? murmura Sarah. Sommes-nous condamnés à mourir lentement de soif ?

Elle baissa la tête. Ses nouvelles petites tresses dévoilaient son front pur, pétri d'angoisse.

Emporté par l'émotion, Yvon Daubigny posa sa main sur celle de la bibliothécaire.

– Rien n'est perdu ! Les masses d'air se déplacent constamment. Cet anticyclone peut très bien laisser place à un air humide et plus frais. Alors nous pourrons recueillir de l'eau et… et…

– Et nous passerons sous le régime des alizés ! compléta Gérard Patisson.

Yvon Daubigny sursauta et retira sa main en bafouillant.

– Alizé ? C'est le nom du pigeon, ça ? s'étonna Mme Pérez.

– Les alizés, chère madame, sont des vents qui soufflent d'est en ouest à travers l'Atlantique, expliqua le directeur. Ce sont les vents qui poussèrent Christophe Colomb vers l'Amérique, et bien d'autres navigateurs après lui.

La brave dame joignit ses deux mains.

– Doux Jésus ! Vous voulez pas dire comme ça qu'on va traverser l'océan ?

Le directeur se fit rassurant :

– Bien sûr que non ! On nous aura retrouvés avant. Il ne s'agit que de tenir jusqu'à l'arrivée des secours.

Tous firent semblant de le croire. Ils convinrent de ne rien dire aux enfants qui, pour l'heure, étaient censés s'entraîner au calcul rapide sous la surveillance de Saïd.

– Et pour la nourriture, où en sommes-nous ? s'enquit Gérard Patisson.

– Nous pourrons déjeuner avec la viande d'espadon cuite hier, répondit Mme Pérez. Le reste est bon à jeter. Vous pensez, avec cette chaleur !

– Nous nous en servirons d'appâts, dit Yvon Daubigny. J'ai bien envie d'essayer la pêche au harpon.

– Je propose tout de même qu'on se baigne avant d'attirer du gibier, remarqua Sarah.

Les 6ᵉ F abandonnèrent le calcul rapide avec enthousiasme, certains d'autant plus facilement qu'ils n'avaient pas encore ouvert leur cahier. Ils dévalèrent les escaliers vers la mer en se disputant les tours de baignade. Sarah mit bon ordre dans les rangs et plongea la première, sans s'éloigner cette fois.

L'océan était lisse et brillant comme un miroir d'acier sous le soleil au zénith. Ceux qui ne nageaient pas barbotaient sur les marches du perron. Tout en les gardant à l'œil, Yvon Daubigny s'était armé d'une scie à métaux et s'efforçait de façonner un harpon dans un morceau de balustrade.

La baignade se déroula sans incident. Revigorés par l'eau fraîche, ils se sentirent d'attaque pour le ragoût d'espadon.

– J'ai soif! clama Basile en s'asseyant à table.

Les adultes se concertèrent d'un coup d'œil. Yvon Daubigny prit la parole.

– Il nous reste à ce jour moins de 200 litres d'eau. Nous sommes dix-sept.

– Dix-huit avec Alizé, rectifia Basile.

– Nous pensons qu'il est plus sûr de ne boire qu'un seul litre d'eau chacun par jour, en attendant que nous remplissions nos réservoirs ou que l'on nous porte secours. Ceux qui ont pratiqué le calcul rapide ce matin peuvent-ils nous dire combien un litre d'eau représente de verres au cours d'une journée de douze heures?

– Sûrement pas assez, grommela Saïd.

– Quatre, répondit Karim.

Les exclamations de dépit fusèrent de toutes parts. Le professeur haussa la voix.

– Quatre verres, c'est exact. Soit un verre au réveil, un au déjeuner, un autre en milieu d'après-midi et le dernier au coucher. Je pense qu'il serait sage de boire maintenant notre verre de la mi-journée, bien lentement. Nous attendrons ensuite quelques minutes avant de commencer à manger, afin que nos corps l'assimilent.

Solennellement, Sarah et Mme Pérez remplirent les verres disponibles et les dix-sept naufragés burent tour à tour. En silence, ils contemplèrent leurs assiettes pleines.

– J'ai encore soif, chuchota Fatou à Marie Lou.

– Et moi, alors ! acquiesça sa voisine.

– Gardez courage, les enfants, intervint Gérard Patisson. Vous avez été formidables. Vos parents seront fiers de vous.

Ce fut une parole malheureuse.

– Nos parents, y croient qu'on est tous crevés ! enragea Turgut.

La plupart des filles et quelques garçons éclatèrent en sanglots. Le directeur aurait voulu se rattraper, mais le désespoir des enfants le laissait sans voix. Mme Pérez vient à sa rescousse :

– On ne sait pas ce qui est arrivé en ville, commença-t-elle timidement. Si notre bibliothèque est partie à la mer, peut-être qu'il y a eu d'autres gros dégâts. Moi, mon fils, il est resté là-bas. Il est jeune. Il est tout seul. Mais je le porte dans mon cœur et je prie pour lui le Bon Dieu, la Vierge Marie et tous les saints du Paradis.

La femme de ménage prit une inspiration. Sa voix se raffermit :

– Tant que je n'aurai pas vu mon fils mort, de mes yeux vu, alors il est vivant. C'est pareil pour vos parents. Jamais une mère ou un père n'abandonnera ses recherches. Jamais. Parole de maman. Et il faut arrêter de pleurer, parce que les larmes, c'est de l'eau.

Tout autour de la table, grands et petits reniflèrent. Habib leva le doigt.

– Est-ce qu'on peut manger maintenant, m'sieur ?

Yvon Daubigny, qui n'était pas sûr que sa voix ne le trahirait pas, hocha la tête en souriant. Les cuillères et les fourchettes se mirent à tinter dans les assiettes.

● ● ● _ _ _ ● ● ●

Livre de bord, par Eunice.

Vendredi 15 février, quatrième jour de mer,
14 h. Toujours pas de vent. Mer plate. Vitesse :
0 nœud.

Il fait chaud. On a bu notre deuxième verre
d'eau, mais on a quand même soif.

Sur le toit chauffé à blanc, il ne restait que
les deux vigies, Saïd et Rosalie, qui observaient
l'horizon. Les deux ados s'étaient assis chacun
dans un coin d'ombre et se tournaient le
dos. Tous les autres s'étaient réfugiés dans la
bibliothèque, à la recherche d'une illusion de
fraîcheur.

Une demi-heure s'était écoulée et Rosalie
gardait un silence obstiné. Saïd n'y tint plus. À
sa grande surprise, alors qu'il avait eu l'intention
d'entamer aimablement la conversation, il s'entendit aboyer :

– Pourquoi tu m'aimes pas ?

Il vit les minces épaules de l'adolescente
se raidir de surprise.

– J'ai jamais dit ça, marmonna-t-elle à l'océan.

– T'as dit que j'étais con parce que je lisais jamais !

– Non ! protesta Rosalie. C'est parce que tu es toujours en train de faire le malin, de te moquer de tout le monde, de parler fort. Alors qu'il y a des gens qui savent vraiment des choses intéressantes et qu'on ne les entend pas.

Saïd suffoqua.

– Ah ouais ? Et qui ça ?

– Karim, par exemple.

– Quoi ? Ce pou à lunettes ? Tout maigre, tout moche ?

Saïd crut voir Rosalie sourire en coin, mais elle tourna vers lui un visage sévère.

– Il est peut-être pas beau, mais il lit au moins trois livres par semaine. Au moins !

– Et alors ?

D'indignation, Rosalie oublia qu'elle boudait.

– Alors ? Alors, il connaît des histoires et des auteurs, il est au courant de l'actualité, il est premier en classe, il est…

– Super sexy ! coupa Saïd goguenard. Qui ça intéresse ?

Rosalie croisa résolument les bras sur sa poitrine.

– Moi.

– C'est parce que t'es encore une toute petite fille, asséna Saïd avec morgue.

La conversation ne prenait pas du tout le chemin qu'il avait espéré. Les phrases échappaient à son contrôle et chacune était pire que la précédente. Il lui sembla voir le mépris poindre dans les yeux noisette de Rosalie.

— En fait, tu m'aimes pas parce que je suis arabe, lâcha-t-il avec le sentiment de jeter une grenade dégoupillée sur la jeune fille.

Rosalie parut blessée. Saïd eut envie tout à la fois de se jeter à genoux, de se mordre les mains jusqu'aux coudes et de sauter par-dessus la rambarde du toit. Il ne fit rien. Elle articula lentement « Plus jamais je ferai la vigie avec toi », et partit s'asseoir à bonne distance.

Saïd se détourna, la rage au cœur. La sale gamine! Ridicule avec ses oreilles décollées! Quoique depuis qu'elle avait lâché ses cheveux, on les voyait moins. Quand même, cette tête de souris, avec son pif pointu et ses grands yeux qui... Ses grands yeux que... Saïd se retint d'aller la secouer comme un prunier et de lui rentrer dans la tête qu'il était un mec bien et qu'il en avait marre de ses grands airs! Premier de la classe! Naze! Et elle, cette crétine! Toutes les autres filles lui coulaient des regards admiratifs. Toutes. Il les voyait bien qui gloussaient et se dandinaient sur son passage. Tandis que Rosalie, toujours à tirer la gueule, à faire sa mijaurée, à...

— UN AVION!

Le cri de Rosalie stoppa net ses persiflages intérieurs. Il la rejoignit en deux enjambées. Elle montra du doigt le point brillant qui tirait une longue ligne de nuages à travers le ciel bleu.

– La fumée ! Il faut allumer le feu de papiers ! cria encore Rosalie.

– Non ! On n'a pas le temps. Il est trop rapide. Il faut lui faire des signes, avec… avec… avec ça !

Saïd sauta sur le cadre de vélo abandonné sur le toit, arracha le rétroviseur et, captant le soleil, dirigea vers l'avion le petit miroir étincelant.

– Tu crois qu'il peut nous voir ? haleta Rosalie en se tordant les doigts.

– Oui, la lumière ça porte très loin. Et puis je fais des SOS, regarde : trois courts, trois longs, trois courts.

Rosalie resta bouche bée de surprise.

– Eh oui, même les débiles savent des trucs, des fois, grinça Saïd.

Rosalie haussa les épaules et reporta son attention sur l'avion. Il poursuivait son vol rectiligne, imperturbable.

– Il s'en va, murmura-t-elle.

– T'attendais quoi ? ricana-t-il. Qu'il se pose sur la mer et qu'on embarque dedans, destination New York ?

Les yeux de Rosalie s'emplirent de larmes. Saïd aurait voulu se botter les fesses lui-même. Il l'attrapa par un coude.

– Hé, j'plaisante ! Si on peut plus rigoler…
Je voulais dire : c'est un avion de ligne, il peut
pas faire demi-tour, comme ça, pour un oui ou
pour un non. Mais peut-être qu'il va signaler
des naufragés et qu'on va voir arriver la marine.
Sûrement, même ! Ça te dirait, un tour en sous-
marin ?

Elle lui décocha un sourire tout en écrasant
une larme du bout de l'index. Le mélange tordit
le cœur du garçon. Mais qu'est-ce qu'elle avait
de spécial, cette fille-là ? Pas vraiment canon. Pas
vraiment marrante non plus. En plus, elle avait
l'air d'attendre une réponse, un sourcil levé.

– Hein ? Tu m'as causé ?

– Je disais qu'il faut prévenir les autres, pour
l'avion, répéta Rosalie.

Quel mec bizarre ! Un vrai moulin à paroles
et, tout à coup, muet comme une pierre, à la
fixer avec des yeux de merlan frit !

– Ouais, ouais… fit-il sans bouger un orteil.

Bizarre, vraiment. L'observation attentive
de Saïd commençait à la gêner. Elle décida
d'aller donner l'alerte elle-même.

– Attends !

– Quoi ?

– T'en lis combien, toi, des livres par semaine ?
interrogea Saïd.

La question prit Rosalie de court.

– Je ne sais pas… ça dépend. À peu près un,
estima-t-elle.

– À peu près un… répéta Saïd rêveusement.

Il reprit son poste face à la mer sans plus de commentaires et Rosalie en profita pour s'éclipser.

Pirates

— « *Trois ou quatre jours après notre départ, nous fûmes attaqués par des corsaires, qui eurent d'autant moins de peine à s'emparer de notre vaisseau qu'on n'y était nullement en état de se défendre. Quelques personnes de l'équipage voulurent faire résistance, mais il leur en coûta la vie ; pour moi et tous ceux qui eurent la prudence de ne pas s'opposer au dessein des corsaires, nous fûmes faits esclaves...*

Le jour qui paraissait imposa silence à Shéhérazade. Le lendemain elle reprit la suite de cette histoire[5]. »

Sarah ferma *Les Mille et Une Nuits* et se massa la nuque d'une main moite.

— Nous aussi, nous reprendrons demain, répondit-elle aux enfants qui la suppliaient de poursuivre. Que diriez-vous d'aller prendre notre verre du goûter ?

— Oh, oui, soupira Habib, on dirait que j'ai mangé du plâtre.

---

5. Septième voyage de Sindbad, idem.

— T'en as bouffé ? demanda Vishnou, l'air soupçonneux.

— Ben non, c'est une façon de parler. Pour dire que j'ai la bouche toute sèche tellement j'ai soif.

— Moi aussi, soupira Jean-Henri, j'ai l'impression d'avoir une plus grosse langue que d'habitude.

— Moi, j'ai mal à la tête, se plaignit Fatou.

Sarah passa sa langue sur ses lèvres craquelées. Pourrait-elle continuer à lire par cette chaleur ou devrait-elle économiser sa salive ? « Pourvu qu'il pleuve bientôt », pensa-t-elle pour la centième fois.

Elle s'appliqua à remplir chaque verre sans perdre la moindre goutte d'eau. Les enfants tenaient leur verre à deux mains, comme un trésor inestimable, et l'emportaient pour le savourer à petites gorgées.

— Mmm, gémit Marie Lou. Jamais j'aurais cru que l'eau avait si bon goût.

— Dire que sur Terre on en jette plein, se lamenta Salima. Des baignoires et des baignoires tout entières !

— Qu'on en remplit des chiottes ! ajouta Basile. Qu'on lave des voitures avec ! Et même des rues…

Kevin s'éloigna du groupe, son verre à la main. Depuis l'incident de la veille, il n'osait plus se mêler aux conversations. Et à part les adultes, personne ne lui parlait plus. Un sourd reproche creusait le vide autour de lui.

Il s'engageait dans l'escalier donnant sur le toit lorsqu'une main crocheta ses cheveux et écrasa son visage contre le mur. Un genou dur lui poinçonna les reins. Il se cramponna à son verre, mais d'autres doigts en détachaient les siens. Le précieux breuvage lui fut arraché.

— T'as déjà eu ta part, toi ! gronda Turgut. Tu l'as foutue par terre.

— C'était un accident, gargouilla Kevin, la tête renversée en arrière par la poigne ferme de Habib. J'vous jure, j'ai pas fait exprès !

— Il manquerait plus que ça, comme dirait mon père. À partir de maintenant, tu nous apportes tous tes verres ici, discrétos. Si tu ouvres ta gueule, on te la fermera pour de bon. Pareil si tu les bois avant d'arriver. T'as compris ?

— Mais je vais mourir, hoqueta Kevin.

— Y vaut mieux toi que nous, rigola Turgut.

D'un trait il vida la moitié du verre d'eau, claqua de la langue avec satisfaction et passa le reste à Habib qui l'engloutit.

— Merci pour le pot ! Et n'oublie pas : rendez-vous ce soir.

Lorsqu'ils disparurent à l'angle du couloir, Kevin se traîna jusqu'au verre abandonné. Du bout de la langue, il chercha la dernière, la toute dernière goutte d'eau. Elle s'était déjà évaporée.

Sur le perron de la bibliothèque, la pêche au harpon allait bon train. Yvon Daubigny, torse nu, pantalon roulé sur les cuisses, brandissait son nouveau harpon tel un homme de Neandertal. Jean-Henri et Fatou s'étaient armés de cuillères. Ils puisaient dans une bassine des lambeaux d'espadon avarié et les jetaient à la mer pour appâter les proies.

Se tenant prudemment en retrait et se bouchant le nez, Vishnou et Basile commentaient l'opération.

– D'est bas croyabe, c'que ça bue!

– Zé zûr! On dirait tes chauzzettes abrès le foot!

– D'es con, toi!

– Oh, regarde! Des boissons!

En effet, l'eau s'était ridée et des ombres fugitives glissaient sous la surface. Un gros morceau de viande disparut soudain. Puis un autre. Et encore un. La mer se mit à bouillonner. Une multitude confuse de dos argentés raya la surface.

– Allez-y m'sieur, tirez!

– Poussez-vous les enfants, enjoignit le professeur à ses assistants.

Il visa soigneusement, bras fléchi, œil fermé, et lança son arme. Le harpon fendit l'air en sifflant. Yvon Daubigny s'empressa de le ramener à bord avec la cordelette attachée à sa hampe. Embroché aux barbelures, un gros poisson gigotait. Il était d'un bleu acier, le dos zébré de raies sombres.

_ Une bonite ! Tout un banc de bonites ! s'écria triomphalement le harponneur.

Il jeta sa proie aux pieds des enfants qui hurlèrent de surprise et se dépêcha de repartir en chasse.

Les cris attirèrent bien d'autres spectateurs. Inlassablement, Yvon Daubigny visait, tirait, harponnait. Les poissons s'empilèrent en un tas scintillant. Puis, aussi vite qu'il était apparu, le banc s'évanouit dans les profondeurs et la mer retrouva son calme.

— Bravo, Yvon, c'est une pêche miraculeuse, s'exclama Sarah. Décidément, vous êtes doué.

Le professeur prit une mine modeste, mais il jubilait intérieurement.

— Oh, nous avons eu de la chance, c'est tout.

— Comment on va cuire tout ça ? s'inquiéta Mme Pérez. On n'a presque plus de bois.

— Je crois que nous devrions les manger crus, dit Yvon Daubigny.

— Cruuus ? couina Eunice.

— Oui, la chair des poissons contient de l'eau, beaucoup d'eau. Et nous en avons tant besoin…

— Mais… Beuaark !

— Nous allons les découper en très fines tranches, et ce sera comme de manger… je ne sais pas moi… une lamelle de jambon. On va aussi en faire sécher au soleil pour reconstituer nos réserves de nourriture.

— Très bonne idée ! approuva Sarah. Comment s'y prend-on ?

Le reste de l'après-midi se passa à vider les bonites de leurs entrailles, à les écailler et à lever de fins filets de chair d'un blanc bleuté. Une partie fut soigneusement pendue sur des fils électriques arrimés entre les antennes du toit. Dix-sept assiettes furent également garnies de filets disposés comme des pétales et arrosés de vinaigrette. Au centre de chaque fleur, Mme Pérez déposa une cuillère de riz.

— Comme c'est appétissant !

Gérard Patisson s'assit devant son assiette en se frottant les mains. Ignorant les regards mornes ou indignés braqués sur lui, il piqua un morceau de bonite, le mit dans sa bouche et ferma les yeux pour exprimer la délectation. Il les écarquilla aussitôt de surprise.

— Mais c'est bon, ma parole !

— Vous en doutiez ? se moqua Sarah.

— Non. Bien sûr que non ! Mais, tout de même, c'est très étonnant. Doux. Tendre. Délicat…

— Vous savez, les Japonais mangent souvent du poisson cru. C'est très sain. Allez-y les enfants, goûtez !

— On ne peut plus faire les difficiles, appuya Yvon Daubigny. C'est une question de survie maintenant.

Fatou fut la première à se risquer. Elle mastiqua longuement la première bouchée sous l'œil dégoûté de ses camarades. Puis, sans faire de commentaires, goba avec entrain un deuxième morceau, un troisième… Marie Lou finit par empoigner sa fourchette avec un soupir et imita sa copine.

Les assiettes vides, même Eunice dut reconnaître que la bonite crue, c'était mangeable.

— Et même pas si mal, ajouta Jean-Henri.

— Carrément bon, fit Vishnou en se léchant les doigts.

— Oh, toi, c'est normal que t'aimes ça, fit Basile, t'es chinetoque.

— Français, rétorqua Vishnou en haussant les épaules. C'est mon papi et ma mamie qui sont indiens.

— Les Japonais sont bien différent des Chinois et des Indiens, intervint Yvon Daubigny. Karim, va me chercher une encyclopédie, s'il te plaît. Profitons-en pour faire un peu de géographie humaine !

Soif!

Livre de bord, par Mme Pérez.
Dimanche 17 février, sixième jour de mer, 8 h.
Pas de vent. Vitesse : 1 nœud.
Nous arrivons au bout de nos provisions d'eau.
Je ne sais pas si nous pourrons boire quatre verres
aujourd'hui. Les enfants supportent courageu-
sement, mais j'ai peur qu'ils finissent malades.
Que le Seigneur nous aide !

À midi, il fallut se rendre à l'évidence, il n'y
aurait que trois verres ce jour-là. Gérard Patisson
proposa de sauter celui du goûter et d'attendre
le soir pour boire à nouveau. Personne n'osa
parler du lendemain. Tout l'après-midi, un
silence de mauvais augure plana sur la bibliothèque. Les adultes, qui jusque-là avaient sou-
tenu le moral des troupes, sentaient leurs forces
s'épuiser. Les enfants se traînaient comme des
somnambules aux yeux brillants de fièvre. Le
bain de mer ne leur rendit qu'une vigueur pas-
sagère. Ils s'affalèrent à nouveau à l'ombre des
bâches, trop languissants pour jouer ou même
pour lire.

Sarah se sentait glisser lentement vers une inconscience mortelle. Un sursaut d'énergie la redressa. Il ne fallait pas dormir ! Malgré sa soif, elle proposa de lire un nouveau chapitre de « Sindbad le marin ». Les enfants acquiescèrent mollement. Elle aperçut Kevin qui revenait de son quart.

— Kevin, avant de t'asseoir, pourrais-tu aller chercher *Les Mille et Une Nuits* que j'ai oublié dans ma cabine ?

Le garçon pivota sur lui-même avec effort, fit quelques pas chancelants et piqua du nez sans crier gare.

Sarah bondit sur ses pieds et retourna le garçon évanoui. Il s'était ouvert la lèvre en tombant et le sang traçait une lézarde vermeille sur son visage livide.

— Kevin, appela doucement Sarah. Tu m'entends ? Kevin ?

— Portons-le à l'abri du soleil, recommanda Gérard Patisson.

Mme Pérez, alertée, posa une main sur le front du garçon et poussa un cri :

— Mon Dieu ! Il est brûlant ! Et comme il a les yeux cernés !

Gérard Patisson s'empara d'un poignet de Kevin. La peau lui parut rêche et craquante comme du papier.

— Son pouls bat si vite que je peux à peine le suivre. Ce garçon est complètement déshydraté.

— Il faut absolument faire chuter sa température, s'inquiéta Sarah. On va lui poser des compresses fraîches. Marie Lou et Basile, allez chercher un seau d'eau de mer! Jean-Henri, Salima, trouvez des journaux et éventez-le.

Avec douceur, les deux femmes bassinèrent le front, les mains et les pieds du garçon sous le regard atterré des autres enfants. Salima reniflait en agitant son éventail de papier. Habib échangea avec Turgut un coup d'œil inquiet.

— Il va pas mourir pour de vrai? demanda Turgut d'une voix anxieuse.

Sarah trouva le courage de mentir :

— Non, c'est juste un petit coup de chaleur… Tiens, regarde, il a bougé!

Kevin entrouvrit les paupières.

— Ça va? demanda Sarah. Tu as mal?

Le regard flou du garçon semblait voir au-delà du visage penché sur lui.

— Maman, gémit-il. C'est pas ma faute…

— Kevin, calme-toi.

Sa tête roula de gauche à droite. Il balbutia :

— C'est pas moi… me laisse pas… Maman… j'ai soif…

— Doux Jésus! Il délire de fièvre, s'exclama Mme Pérez.

Gérard Patisson revint à cet instant avec une carafe d'eau. Il remplit un verre et tenta de l'approcher des lèvres du garçon. Mais, les yeux grands ouverts, celui-ci se débattait avec un effroyable cauchemar.

– Attention, il va renverser l'eau ! prévint Mme Pérez. Laissez-moi faire.

D'une main ferme, elle saisit les poignets de Kevin et le serra contre sa poitrine moelleuse. Peu à peu, il cessa de s'agiter et reposa comme un petit enfant dans des bras aimants.

– Faites-le boire, maintenant. Par toutes petites gorgées.

L'estomac torturé du garçon rejeta violemment les premières gouttes. À force de patience Sarah réussit à lui faire absorber un premier verre d'eau, puis un deuxième, un troisième… Inconsciemment, tous les yeux étaient rivés au liquide vital et les gorges serrées palpitaient d'envie.

Au bout d'une demi-heure, Mme Pérez, qui caressait tendrement le front de Kevin, annonça :

– Sa température a baissé, je le sens qui s'endort.

Resserrant son étreinte autour du corps abandonné, elle fredonna alors à voix basse :

– « *O Fado nasceu um dia,*
quando o vento mal bulia
e o céu o mar prolongava,
na amurada dum veleiro,
no peito dum marinheiro

144

que, estando triste, cantava,
que, estando triste, cantava [6]. »

Rassemblés autour d'elle, Sarah et les enfants furent emportés par la poignante nostalgie du *fado* et, tout au long de ces heures brûlantes, se laissèrent bercer par le chant du destin.

Livre de bord, par Saïd.
Dimanche 17 février, sixième jour de mer, 16 h. Pas de vent. On bouge pas.
Kevin a failli mourir de soif, c'était moins une. Bientôt ce sera notre tour si cet enfoiré d'avion nous envoie pas des secours. J'espère que ce sera rapide, j'ai pas envie de souffrir. Déjà que ça me fout les boules de crever, j'ai même pas vraiment commencé à vivre. Moi, j'ai des voyages à faire, des filles à tomber et des livres à lire, merde !

---

6. « Le Fado est né un jour / quand le vent soufflait à peine / et que le ciel prolongeait la mer / dans les flancs d'un voilier / dans le cœur d'un marin / qui, étant triste, chantait / qui, étant triste, chantait. » *Fado português,* d'Amalia Rodrigues.

La nuit de tous les dangers

Au soir, la soif avait gagné.

Le sauvetage de Kevin avait puisé dans les dernières réserves et les adultes durent se contenter d'un demi-verre d'eau. Sarah versa les ultimes gouttes dans la tasse d'Yvon Daubigny et ils trinquèrent avec un « Tchin ! » ironique.

— Le verre du condamné, murmura Sarah.

— Tant qu'il y a de la vie, il y a de l'espoir ! clama Gérard Patisson avec un entrain qui ne convainquit personne.

Ils tentèrent de se nourrir de filets de bonite séchée mais leurs bouches sans salive refusèrent de mâcher et encore moins d'avaler. Un instinct animal les serrait les uns contre les autres et personne ne fit mine de descendre dans les cabines.

— J'ai mal au ventre, gémit Eunice. Et là aussi, dans la poitrine.

Ne sachant que répondre, Sarah la prit dans ses bras et lui massa doucement le ventre.

— Moi aussi, j'ai mal, soufflèrent plusieurs petites voix étranglées.

– Tâchez de dormir, recommanda la jeune femme, vous oublierez la soif.

Au fond d'elle-même une voix horrifiée chuchotait que ce serait peut-être leur dernier sommeil. Ses yeux s'emplirent de larmes fantômes.

Livre de bord, par Gérard Patisson.
Lundi 18 février, septième jour de mer, 00 h 30. Calme plat persistant. Nous sommes trop faibles pour manier le loch, mais notre vitesse semble nulle.

J'espère que ce message ne sera pas le dernier, mais nous sommes à bout de forces. Nous avons terminé nos provisions d'eau aujourd'hui. Je veux rendre hommage à mes compagnons, enfants et adultes, qui ont été entraînés bien malgré eux dans cette mésaventure. Que leurs familles et leurs amis sachent qu'ils ont été d'une dignité et d'un courage exemplaire. À titre personnel, je souhaite assurer ma femme et mes enfants de tout mon amour.

Dans le somptueux velours indigo de la nuit, les étoiles allumaient des piqûres d'épingle. Parfois, l'un des dormeurs laissait échapper une plainte sourde qui couvrait le chœur des respirations rauques.

Sarah écarta doucement les bras et les jambes des enfants qui s'étaient assoupis en l'enlaçant.

Se lever lui demanda un effort considérable. Elle fut étonnée de se sentir si faible. Déjà… Des crampes d'estomac l'obligèrent à se courber pour se traîner à l'abri des regards, derrière la plus grande des cheminées. Elle se recroquevilla contre la rambarde du toit et tourna son visage vers la mer.

La lune aux trois quarts pleine ourlait d'or et d'argent chaque vaguelette. L'océan bruissait tout bas, d'une rumeur tendre. « On dirait qu'il se désole sur notre sort, pensa Sarah. J'ai si peur pour les enfants. Oh, j'ai si peur de mourir ! »

Elle posa sa tête sur ses genoux et laissa d'amers sanglots secs lui déchirer la poitrine.

Une ombre hésitante vint s'accroupir à ses côtés. Des doigts enlacèrent les siens. Elle se blottit dans les bras ouverts, y abandonna sa terreur et son désespoir. Il la garda ainsi serrée contre lui et le temps s'arrêta. « Si je meurs, je mourrai heureux », se dit-il. Les yeux perdus au firmament, il lui sembla que sa joie éclipsait et brouillait les étoiles.

Sarah releva soudain le nez.

— Yvon, chuchota-t-elle d'une voix cassée. Les roses, c'était toi ?

— Oui, chuchota-t-il en retour. Je me demandais si tu les avais trouvées.

— Bien sûr. Merci. C'était un geste magnifique. Surtout dans ces… circonstances.

– Je remercie ces circonstances ! Jamais je n'aurais osé t'approcher si nous n'avions pas été embarqués dans cette aventure. Tu n'imagines pas le nombre de fois où, ici même, dans cette bibliothèque, j'ai ouvert la bouche, pris mon inspiration et… laissé tomber.

– Pourquoi ?

– Je ne sais pas. J'ai toujours été comme ça. Timide, indécis. Lâche peut-être. Tu vois, je te parle en toute sincérité. Je… je crois que nous n'avons plus de temps à gaspiller.

– Yvon, tu n'es pas lâche. Tu n'as pas hésité une seconde à plonger à mon secours ! Et depuis le début de cette histoire insensée, tu nous as sauvé la vie plusieurs fois.

– Peut-être… Mais toi, tu es vraiment brave. Forte, belle, généreuse.

Il prit le visage de la jeune femme entre ses mains.

– Sarah, je ne veux pas mourir sans t'avoir dit la vérité.

Ils ouvrirent alors leurs cœurs jusqu'à ce que leurs lèvres crevassées les contraignent au silence. Quand ils ne purent plus parler, ils laissèrent se fondre leurs peaux brûlantes, pour que la mort elle-même ne puisse plus les séparer.

Au petit matin, la première goutte de pluie toucha Sarah en plein front, comme une bénédiction.

Il pleut

La pluie fine se déposa avec la légèreté d'un voile de mousseline sur les corps épars, figés dans des postures qui reflétaient la souffrance des dernières heures. Recroquevillés, martyrisés par la soif, enfants et adultes gisaient inconscients.

Ce fut Saïd qui brisa le maléfice. Il crut d'abord à une hallucination comme celles qui avaient hanté sa nuit. Des rêves de verre d'eau qu'on vide d'un trait, de glaçons tintinnabulants dans le soda, de douche fraîche qui apaise le corps. Chaque réveil était plus décevant et plus cruel que le précédent. Il voulut s'empêcher de dormir et rampa aux côtés de Rosalie. Il s'allongea, la tête contre sa tête, seuls leurs cheveux se frôlaient. Il sombra à nouveau en écoutant la respiration ténue de la jeune fille. Son cerveau assoiffé lui envoya bientôt la torturante sensation d'une brume qui ruisselait sur son visage. Il se griffa le front, enragé à l'idée d'un nouveau et douloureux mirage. « Total délire ! » se dit-il en sentant une humidité tiède et glissante sous ses doigts. Mais par réflexe il les porta à sa bouche. Aussitôt un coup de fouet frappa ses sens engourdis. Le goût de l'eau. L'odeur de la pluie. Le tambourin des gouttes…

– Il pleut ! hurla-t-il sans qu'aucun son ne sorte de sa gorge pétrifiée.

Il rassembla ses forces, son désir de vivre et s'arracha à l'étreinte létale de la soif.

L'aube pointait mais une épaisse couche de nuages absorbait toute clarté. À tâtons, il entreprit de ranimer ceux qui l'entouraient.

– Rosalie ! croassa-t-il en tapotant, puis en claquant franchement les joues fiévreuses de l'adolescente. On est sauvés, il pleut ! Réveille-toi !

La tête de Rosalie roulait de gauche à droite, inerte.

« Comment y font déjà, ces bouffons de princes pour réveiller les princesses ? s'interrogea Saïd. Ah, oui ! »

Il plaqua un baiser ardent sur les lèvres endormies.

Une protestation étouffée lui parut un signe de vie suffisant. Il se hâta de secouer sans tendresse les corps voisins. Apercevant les cheveux gris de Gérard Patisson, il lui réserva un traitement particulièrement énergique.

Le directeur de la bibliothèque ouvrit les yeux, hébété.

– Il pleut, annonça le jeune.

– Je l'avais bien dit, grinça Gérard Patisson avec satisfaction.

Il saisit la main tendue de Saïd pour se redresser.

– Tout le monde va bien ?

– Je sais pas. Réveillez les autres. Je vais retendre les bâches. Faut récupérer un max d'eau.

Gérard Patisson approuva de la tête et chercha du regard le professeur de technologie et la bibliothécaire.

Il les trouva étroitement enlacés derrière la grande cheminée. Il prit le temps de sourire puis secoua le pied d'Yvon Daubigny jusqu'à ce que son propriétaire ouvre les yeux.

– Il pleut ! jubila le directeur.

– Il pleut… murmura Yvon Daubigny dans l'oreille de Sarah.

– Il pleut ?

La jeune femme passa une langue parcheminée sur ses lèvres et gémit de bonheur. Elle se redressa tant bien que mal.

– Les enfants, ça va ? Madame Pérez ?

– Je crois… Venez, allons faire la revue des troupes.

Ils trouvèrent les enfants assis, à genoux ou couchés, mais tous la bouche grande ouverte pour happer l'eau qui leur tombait du ciel. La pluie était déjà plus drue. Les gouttes ruisselaient sur les visages offerts.

Peu à peu, la vie revint dans les yeux éteints. Des sourires apparurent. Marie Lou se leva. Elle ôta son T-shirt, puis son jean, tendit ses bras vers le ciel et se fit doucher par la pluie bienfaisante. Un à un, les autres l'imitèrent. Debout sous l'averse, ils se laissèrent laver du sel, de la crasse et de la peur.

On ne sait qui déclencha la danse de la pluie mais la joie d'être en vie les jeta tout à coup dans une frénésie de contorsions, de chants sauvages et de rires fous. Sarah entraîna Saïd, Yvon et Gérard Patisson dans une farandole scandée de youyous stridents, tandis que Mme Pérez, les yeux clos et les mains jointes, adressait au Bon Dieu et à tous les saints du Paradis une fervente prière de remerciement.

De l'eau, un peu, beaucoup…

Ils burent tout leur soûl, jusqu'à ce que la moindre de leurs cellules déshydratées soit gorgée d'eau fraîche. Ils retrouvèrent peu à peu leurs forces, puis l'appétit et firent honneur aux filets de bonite.

Bientôt, la pluie tambourina avec une telle énergie que des flaques se formèrent sur le toit. L'eau ruisselait sur les bâches tendues et se déversait en glougloutant dans les réservoirs qui se remplissaient à vue d'œil. Gérard Patisson se frotta les mains.

– On ne manquera pas d'eau avant un moment !

– En effet, nous sommes sortis du pot au noir, confirma Yvon Daubigny. Si nous approchons de l'équateur, je pense que nous serons désormais soumis à un régime d'alizés stables et de grains pluvieux.

Soudain une rafale souleva l'une des bâches qui claqua en les aspergeant.

Yvon Daubigny fronça les sourcils.

– Je crois que le vent se lève, nous devrions consolider les attaches.

Une nouvelle bourrasque lui donna raison, qui s'empara des chapeaux de papier et des journaux abandonnés, les jeta par-dessus bord. Ils s'envolèrent vers la mer invisible comme de grands oiseaux blancs dans l'aube grise.

– On ferait bien de ranger nos affaires ! s'exclama Mme Pérez en retenant d'une main ses cheveux hérissés par le vent.

Sautant à pieds joints dans les flaques, s'éclaboussant et gloussant, les enfants l'aidèrent à ramasser les assiettes et les couverts du dernier repas, les livres déjà détrempés, les jeux et les vêtements éparpillés.

Dans l'escalier, Vishnou éternua.

– Ah non ! protesta Mme Pérez. Vous n'allez pas m'attraper des rhumes, maintenant.

– C'est qu'on a un peu froid, reconnut Salima en grelottant.

– Mais tu as les lèvres bleues, toi ! s'indigna Mme Pérez, Oh, mon Dieu, mon Dieu ! Il faut tous vous changer.

– Ben, on a pas d'autres vêtements, remarqua Basile.

– Vous mettrez vos anoraks et vos manteaux. On va en profiter pour laver vos autres affaires puisqu'on ne manque plus d'eau.

– Heu… on se met à poil sous les anoraks ? s'enquit Jean-Henri, incrédule.

— Eh oui, confirma Mme Pérez. Vous n'allez pas me jouer les saintes-nitouches ? Il n'y a pas si longtemps que vous étiez tout nus, à vous trémousser comme des Zoulous !

Les enfants allèrent donc rechercher les vêtements d'hiver qu'ils avaient abandonnés depuis une semaine, une semaine folle qui leur paraissait une éternité. Ils les revêtirent en se moquant des accoutrements des uns et des autres, mais cessèrent de rigoler quand Mme Pérez les aligna devant les lavabos des WC, avec un seau d'eau et un gros savon de Marseille.

— C'est un truc de gonzesse, la lessive ! protesta Turgut.

— Moi, j'sais pas faire, grogna Habib.

— Un homme doit savoir tout faire dans sa vie, les sermonna Mme Pérez. Vous croyez que votre maman lavera toujours vos habits ?

— Ben non. Après ce sera ma fiancée, rétorqua Basile.

— Dans tes rêves ! se moqua Marie Lou.

— Les filles, c'est pas des machines à laver, l'informa Eunice.

— Les filles, c'est des reines, compléta Fatou.

— Assez papoté, vos majestés, au travail ! Je vous montre : je prends un vêtement, ce T-shirt par exemple, je le trempe dans l'eau. Je mets du savon, je frotte très fort. Je rince. S'il reste de la saleté, je recommence. À la fin, j'essore en tordant bien et je mets à sécher. Voilà. À vous.

– Oh ! là là !… gémit Jean-Henri qui tenait entre deux doigts une chaussette blanche où la trace de son pied était imprimée en noir. On n'aura jamais fini !

– Mais si. Un slip, un T-shirt, deux chaussettes, ça va aller vite, l'encouragea Mme Pérez. Quand j'étais jeune, je devais laver le linge de toute la maison. On était huit chez moi, imagine un peu !

Finalement, ils s'amusèrent bien. Dès que Mme Pérez eut le dos tourné la lessive se changea en une furieuse bataille à coups de chaussettes-qui-puent dont ils sortirent trempés, hilares et heureux.

Quand les premiers coups de roulis inclinèrent le plancher sous leurs pieds, ils crièrent de rire, comme à la fête foraine. Puis Fatou se cogna la tête et Jean-Henri eut subitement mal au cœur. Ils décidèrent d'aller voir dehors ce qui pouvait bien se passer.

Beaucoup trop d'eau

Ils ne virent tout d'abord pas grand-chose car des rideaux de pluie opaques masquaient la mer. Soudain, une vague hargneuse s'écrasa sur les vitres de la salle de lecture. Les enfants crièrent de frayeur.

– L'eau coule à l'intérieur ! s'alarma Karim.

En effet, l'eau de mer s'était infiltrée par les fentes des huisseries. La moquette, sous les fenêtres, en était déjà imbibée.

– Faut prévenir les grands, s'empressa Vishnou.

– Je vais essayer de boucher les trous avec du papier, décida Eunice.

– Moi aussi, dit Marie Lou.

Les autres partirent en courant vers l'escalier du toit mais ils eurent bien du mal à pousser la porte vers l'extérieur. À peine ouverte, le vent la leur arracha des mains, puis leur claqua à la figure. Ils la rouvrirent prudemment et s'avancèrent sur le toit. Le paysage était transformé. Le ciel d'un gris sombre était barré de traînées jaunâtres de mauvais augure. Fouettée par les rafales, la pluie frappait le toit avec une puissance de lance d'incendie. Les enfants plissèrent les yeux pour distinguer les silhouettes des adultes qui luttaient avec les bâches arrachées par le vent. Glissant et trébuchant dans le roulis, ils s'efforçaient de plaquer au sol les toiles gonflées comme des ballons. Le vent les poussait vers la rambarde, déterminé à les jeter à la mer.

Les enfants s'approchèrent tant bien que mal et saisirent à pleines mains les précieuses toiles.

– Rentrez, les enfants, hurla Sarah. C'est trop dangereux !

Mais sa voix fut couverte par le fracas des vagues et le sifflement du vent. Unissant leurs forces, ils parvinrent à maîtriser une bâche, puis une autre, que Saïd et Yvon Daubigny entassèrent à l'abri dans l'escalier. Le vent et l'océan s'enragèrent de voir leurs proies s'échapper. Des bourrasques d'une violence inouïe hurlèrent leur colère et une première masse d'eau glacée balaya le toit. Mme Pérez, Kevin, Rosalie et Turgut furent fauchés comme des quilles, roulés sur plusieurs mètres, écrasés contre la rambarde. Gérard Patisson et Saïd se précipitèrent à leur secours en pataugeant. La dernière toile s'arracha aux mains qui la tenaient et s'enfuit, libre enfin, en gesticulant follement.

Une deuxième vague, plus grosse, plus puissante encore, se rua à son tour à l'assaut. Yvon Daubigny et Sarah, dégoulinants, aveuglés, agrippèrent les bras, les jambes ou les cheveux des enfants qui les entouraient. Ils se raidirent dans l'attente du choc.

La vague les percuta de plein fouet. Sarah tomba à genoux, fut traînée à plat ventre mais ne lâcha pas prise. Quand elle releva la tête, Yvon était déjà en train d'envoyer Jean-Henri, Salima et Karim dans la bibliothèque. Elle-même releva sans ménagement Vishnou, Basile et Fatou et les poussa dans l'escalier.

Yvon s'empressa ensuite vers Saïd qui portait dans ses bras Rosalie, dont le visage était en sang. Gérard Patisson le suivait de peu, soutenant Mme Pérez qui boitait bas.

Sarah chercha alors Turgut et Kevin du regard et son cœur manqua un battement.

Derrière les enfants s'élevait une vague monstrueuse. Grise et blanche, haute comme une montagne en marche. Avec un grondement terrifiant, la vague sembla se hisser jusqu'au ciel, puis se courba vers eux. En un élan désespéré, Sarah tendit les bras aux garçons.

À la mort, à la vie

Kevin lut l'horreur sur le visage de Sarah et voulut regarder derrière lui. Comme dans certains rêves, il eut l'impression que sa tête tournait au ralenti, que ses yeux avaient besoin d'un temps infini pour capter la réalité. Il ne vit d'abord que du gris, des lambeaux de blanc, comme si le ciel s'était approché jusqu'à toucher la rambarde. Puis il discerna le mouvement. Son regard monta jusqu'à la crête qui s'enroulait, là-haut, au sommet de tonnes et de tonnes d'eau.

Il n'eut peur qu'une fraction de seconde. Son cerveau commanda à ses poumons de se remplir et à ses jambes de courir, mais l'ordre était toujours en chemin quand l'avalanche d'eau salée les engloutit tous.

Durant des secondes qui lui parurent des heures, il fut violemment écrasé au sol, puis soulevé, retourné tête en bas, lancé contre une des cheminées qui lui meurtrit l'épaule, tiré en arrière à toute vitesse. Il se sentit comme un de ces jouets qu'il précipitait dans les tourbillons de son bain et s'étonna de cette pensée absurde.

Dans son reflux, la vague le jeta à toute volée contre la rambarde. Il sentit craquer ses os et un second choc lui éjecta des poumons le peu d'air qui y restait. Un autre corps vivant était venu le percuter. D'instinct il referma ses doigts sur un bras et s'y cramponna. Il était à bout de souffle quand, enfin, sa tête retrouva l'air libre.

Le bras entre ses doigts glissait, glissait.

– Tiens-moi, cria Turgut.

Ils étaient chacun d'un côté de la rambarde. Kevin côté toit, Turgut côté mer. À travers les barreaux de métal, Kevin retenait à bout de bras l'autre garçon que l'océan emportait.

Turgut s'efforça d'agripper le bord du toit. En vain.

Leurs yeux s'accrochèrent. Sombres, intenses.

– Tu m'as laissé mourir de soif, accusa le regard de l'un. Tu m'as frappé. Tu m'as insulté. Tu m'as volé.

– Je regrette, répondit le regard de l'autre. J'ai si peur maintenant.

– Je peux me venger. Simplement en ouvrant les doigts.

– Ne fais pas ça ! Je t'en prie. Sauve-moi.

Lentement, Kevin tendit son autre main à travers la rambarde. Turgut s'y accrocha. En unissant leurs efforts contre le roulis désordonné et les coups de boutoir des vagues, ils parvinrent à hisser le torse de Turgut entre les barreaux. Le garçon se tortilla avec l'énergie du désespoir et regagna enfin le toit. Ils restèrent quelques secondes écroulés côte à côte, leurs souffles mêlés. Enfin Turgut s'agenouilla péniblement sur le toit inondé et offrit sa main ouverte. Kevin n'hésita qu'une seconde. Les deux garçons s'étreignirent avec force.

Le vent redoublait de violence. La pluie cinglant à l'horizontale les aveuglait. Ils se protégèrent la figure d'un bras et titubèrent, cramponnés l'un à l'autre, vers la porte de la bibliothèque. L'eau de mer restée captive sur le toit terrasse freinait leurs pas, les bourrasques hurlantes les désorientaient. Plusieurs vagues les firent tomber à nouveau et même reculer de quelques précieux mètres. Serrant les dents, se criant mutuellement des encouragements, Turgut et Kevin luttèrent pied à pied pour regagner le terrain perdu. Enfin, la porte fut à portée de main. Elle s'ouvrit brutalement et Yvon Daubigny apparut dans l'encadrement. Il les tira à l'abri et, d'un coup, le tumulte cessa.

— Vous êtes là ! s'exclama le professeur. Sarah vient seulement de se réveiller et de me dire que vous étiez dehors !

Étourdis par la fureur du vent et par leur peur immense, les deux garçons dégoulinaient en silence, bras ballants et yeux clignotants.

– Clclic-Sarah-clicclic-dormait-cclclclic ?
demanda tout de même Kevin qui claquait des
dents, de frayeur autant que de froid.

Yvon Daubigny les saisit par les épaules et
les pressa dans l'escalier.

– Mais non ! Elle a été assommée par la vague
qui vous a emportés. Quelle trouille, j'ai eue !
Et pire encore quand j'ai compris que vous étiez
restés sur le toit. C'est incroyable que personne
n'ait été jeté à la mer !

Turgut et Kevin échangèrent un sourire de
leurs lèvres violettes.

Quand Mme Pérez les vit, elle poussa des
cris de joie et d'horreur.

– Grâce à Dieu, les voilà ! Ces pauvres petits !
C'est un miracle ! Oh, mon Dieu, mon Dieu,
mais ils sont commotionnés ! Ils vont attraper
une pleurésie ! Une bronchite ! La tuberculose !

Oubliant sa cheville foulée, la brave dame se
leva d'un bond pour les embrasser avec soulagement. Sourde à leurs protestations, elle
leur arracha leurs vêtements trempés et entreprit
de les frictionner avec ardeur.

La bibliothèque ressemblait maintenant à
un hôpital de campagne, le tangage en plus.
Les éclopés étaient répandus un peu partout.
Quelques rescapés – Yvon Daubigny, Marie
Lou, Karim, Vishnou – allaient de l'un à l'autre
pour réconforter les plus mal en point. Ici,
Sarah, encore un peu dans les vapes, le crâne

orné d'une bosse comme un abricot. Elle devait la vie sauve à l'antenne de la bibliothèque dont les filins d'acier l'avaient retenue, inconsciente, contre la vague qui l'emportait. Là, Rosalie, à qui Gérard Patisson fermait une coupure profonde sur le sourcil droit, à grand renfort de sparadrap. Saïd agenouillé à ses pieds, une bassine d'eau rougie de sang entre les mains, tentait de lui arracher un sourire entre deux grimaces. Çà et là, des malheureux atteints de mal de mer vomissaient tripes et boyaux, la tête dans une casserole.

Livre de bord, par Vishnou.
Lundi 18 février, septième jour de mer, 10 h. C'est la tempête. On avance plutôt vite, mais je ne sais pas dans quel sens. C'est pas facile d'écrire parce que le cahier saute tout le temps. Y a des gens un peu blessés et d'autres qui dégueulent partout et ça pue le gerbi. Sinon ça va. (LOL)

Ils avaient abaissé les volets roulants pour protéger les vitres de la violence des vagues et ne virent donc pas, vers midi, se dessiner à l'horizon la fine ligne bleue qui annonçait la fin de la tempête. Peu à peu, la bibliothèque cessa de rouler et de tanguer, les glapissements du vent diminuèrent, le roulement de la pluie fit place à un ploc-ploc paisible.

Saïd lâcha la main de Rosalie endormie
et annonça :

– On dirait que ça se calme. J'vais voir là-
haut.

Hello, le soleil brille,
brille, brille !

Sur le toit, la tempête avait fait table rase. Tout ce qui n'était pas solidement fixé avait été arraché, emporté, englouti. Mais le soleil perçait les nuages anthracite de longues aiguilles vermeilles. Sous les rais de lumière, la mer retrouvait sa transparence et se drapait d'un somptueux camaïeu de verts et d'ors, que le vent frais rehaussait d'écume. Saïd eut l'impression que son cœur se dilatait dans sa poitrine, accueillait le ciel et l'océan tout entiers. Il emplit ses poumons d'air pur et salé, écarta les bras et poussa un cri de victoire. Vivant !

La porte du toit s'ouvrit et il se retourna pour voir arriver les autres membres de l'équipage. Des enfants pâles, les jambes flageolantes, s'avancèrent timidement.

— Respirez-moi ça, les gars ! s'écria Saïd en se frappant la poitrine. Ça ventile la tête !

Fatou frissonna et recroquevilla ses doigts dans ses manches.

– J'en ai ras le bol, moi, de la mer ! ronchonna-t-elle. On a tout le temps trop chaud ou trop froid.

– Moi, pareil, approuva Eunice. En plus, c'est hyper dangereux : les bateaux, les requins, les tempêtes ! Y en a marre et marre !

– Ouais ! Et on se fait mal partout, ajouta Basile. Alizé a perdu deux grandes plumes. Moi j'ai vomi quatre fois, j'ai des tas de bleus et un orteil en bouillie.

Saïd les regarda avec surprise.

– Ben oui, mais… c'est chouette quand même ! L'aventure, la mer, la liberté, tout ça.

– Oh toi, de toute façon, t'es amoureux. Alors forcément t'es content ! grommela Eunice.

– Moi ? Ça va pas la tête ! s'insurgea Saïd.

Les filles haussèrent les épaules avec un soupir agacé. Saïd réalisa soudain qu'il était bel et bien, irrémédiablement, profondément amoureux. Non seulement vivant, mais heureux ! Il éclata de rire, flanqua une bonne claque dans le dos de Basile qui trébucha, et partit en sifflotant s'enquérir de sa dulcinée.

Mme Pérez refaisait justement le pansement de Rosalie. Pour protéger la plaie, elle entourait son œil droit et la moitié de son crâne d'une bande Velpeau. En apercevant Saïd, Rosalie se détourna, gênée.

– Alors, ça va mieux ? interrogea le jeune homme, plein de sollicitude.

– Mmm, murmura Rosalie.

– Oui, le sang a cessé de couler, expliqua Mme Pérez. Mais la plaie est profonde. Il faut la surveiller, que ça ne s'infecte pas. Ne bouge pas, ma fille !

Rosalie se tortillait sur sa chaise.

– C'est moche, ce bandeau ! râla-t-elle.

– C'est l'affaire de quelques jours et ça vaut mieux qu'une vilaine cicatrice ! rétorqua son infirmière.

Saïd recula d'un pas pour observer l'effet produit.

– C'est pas si mal... Ça fait un peu pirate... commenta-t-il.

Rosalie lui coula un regard en dessous. Est-ce qu'en plus il se fichait d'elle ?

Non. Saïd affichait bien un sourire, mais un sourire si joyeux, si sincère, si tendre qu'on ne pouvait s'y tromper. Il y ajouta un clin d'œil outrancier et Rosalie fut bien obligée de pouffer.

– C'est comment là-haut ? demanda-t-elle.

– C'est le top ! répondit le jeune homme avec enthousiasme. La mer est super belle, avec plein de verts différents. Le soleil brille dessus, ça flashe un max !

– Eh bien, en voilà un qui a la pêche ! remarqua Gérard Patisson qui venait aux nouvelles. D'ailleurs en parlant de pêche… on risque de manquer de provisions.

– Je crains que la tempête n'ait chassé les poissons dans les profondeurs, intervint Yvon Daubigny. Mais on peut toujours tenter notre chance. Viens, Saïd, on va appâter du perron.

Saïd emboîta le pas du professeur, puis tournoya soudain sur lui-même, envoya un baiser à Rosalie et disparut.

– Puisque les hommes sont partis à la chasse, nous autres, femmes, allons mettre de l'ordre dans la grotte… ironisa Sarah.

– C'est vrai qu'il y a encore du ménage, soupira Mme Pérez.

C'était peu dire. La salle de lecture était un monstrueux capharnaüm, les étagères de livres avaient été jetées à bas, la cuisine semblait mise à sac. Sarah ramassa sans enthousiasme un dictionnaire et quelques BD éparpillées tout en marmonnant :

– Je commence à comprendre pourquoi on attache tout sur les bateaux ! J'en ai plus qu'assez de ranger ces bouquins !

Une cavalcade et des cris l'interrompirent :

– Des poissons ! Des poissons qui volent ! hurlaient des voix juvéniles venues du toit.

Sarah lâcha sa brassée de livres et courut vers l'escalier.

Récoltes inattendues

Sur le toit on criait, on courait, on se bousculait dans la plus folle agitation. Des flèches argentées fendaient l'air de tous côtés et s'affalaient avec un bruit mouillé. Sarah eut à peine le temps de reconnaître des poissons volants que Salima s'agrippait à elle, hurlant d'horreur, un poisson emmêlé dans ses longues boucles brunes.

Fatou, Habib et les autres les ignorèrent, trop occupés à ramasser les poissons gisant sur le béton et à courser ceux qui se cabraient, battant désespérément de leurs grandes nageoires rosâtres.

– C'est génial ! brailla Basile, pas besoin de pêcher !

Il avait noué les manches et le col de son pull et fourrait des poissons à pleines poignées dans ce sac improvisé. Alizé s'était prise au jeu et pourchassait en voletant les poissons qui menaçaient de passer par-dessus la rambarde.

– Ouais ! On va s'en mettre plein la lampe, jubila Habib, un bouquet de poissons à la main.

Sarah délivra Salima puis se jeta à quatre pattes pour participer à la pêche miraculeuse. Elle aida Jean-Henri à rabattre une vingtaine de poissons dans un angle.

— Je savais pas que ça volait, les poissons ! s'écria le garçon.

— Seulement ceux-là, répondit Sarah en riant. Ils bondissent hors de l'eau pour échapper à leurs prédateurs et planent avec leurs grandes nageoires. Je me demande ce qui les a effrayés.

Jean-Henri jeta un œil par-dessus la rambarde et blêmit.

— Je crois que j'ai trouvé murmura-t-il d'une voix étranglée.

Sarah se redressa lentement. Son cri attira tous les regards.

— Un orque !

Les enfants se précipitèrent à la rambarde, mais les exclamations moururent sur leurs lèvres. Comme ces aigles qui font taire les passereaux de leur ombre, le cétacé leur imposa le silence. Bouches bées, ils contemplèrent le submersible noir et blanc, long comme un semi-remorque et taillé pour la chasse, qui longeait la bibliothèque. Son dos et sa nageoire dorsale d'un noir brillant et caoutchouteux fendaient la surface. Intrigué par l'embarcation, il méprisait la myriade de poissons volants qui jaillissaient autour de lui. Soudain, l'orque roula de côté.

Son petit œil noir fixa avec convoitise la brochette d'humains. Il dut juger que l'effort ne valait pas la proie, car il sonda d'un coup de queue majestueux et disparut vers les profondeurs dans un tourbillon d'écume.

On entendit Habib avaler sa salive.

— Oh, purée! souffla-t-il. C'était magique…

Les autres hochèrent la tête. Chacun sentait que, l'espace d'un instant, ils avaient eu le rare privilège d'une rencontre avec la vie grandiose et sauvage de l'océan.

Un cri les ramena à la réalité.

— Regardez ce qu'on a trouvé!

Saïd surgit sur le toit, brandissant un énorme paquet de boules noirâtres et dégoulinantes. Sarah et les enfants, les mains pleines de poissons volants, semblaient sortir d'un rêve. Saïd s'étonna.

— Vous en faites, des tronches! Vous avez vu le diable?

— Presque, sourit Sarah. Ou alors un ange…

— On a vu un orque, mon pote! triompha Vishnou. Ça te la coupe, ça, hein?

— Un orque? Un truc qui fait de la musique dans les églises?

— Non, ça c'est un orgue, ricana Karim. Un orque, c'est un cétacé noir et blanc. Énorme.

— Gigantesque, précisa Vishnou.

— Mo-nu-men-tal, ajouta Marie Lou. T'as rien vu, toi?

— Ben non, j'étais de l'autre côté, grommela Saïd.

— Eh bien nous, on a pêché le dessert ! s'exclama Yvon Daubigny. Regardez, des noix de coco !

Habib se précipita pour secouer une noix près de son oreille.

— Dedans, il y a un lait délicieux. Je l'entends glouglouter !

— La chair aussi est exquise, râpée dans des gâteaux ou avec du poisson, ajouta Mme Pérez. On va se régaler !

— Et si on organisait une fête ? demanda tout à coup Sarah. Puisque cette nourriture nous tombe du ciel… On l'aurait bien méritée, non ?

L'idée déclencha un enthousiasme délirant.

— Ouais ! Ouais ! Une fête ! Génial !

— On pourrait même faire de la musique, en bricolant deux ou trois instruments, ajouta Yvon Daubigny.

— Et on dansera ! cria Marie Lou au comble de la joie. On va faire une choré !

— Et des déguisements ! clama Jean-Henri.

— Ça va être la méga-fiesta de la mort qui tue ! trépigna Vishnou.

L'instant d'après, ils avaient tous disparu, happés par d'intenses préparatifs.

Viva la vida !

Le coup d'envoi fut donné par le coucher du soleil, une éblouissante composition de ciel mauve tendre, de fulgurances fuchsia et de mer argentée qu'ils applaudirent spontanément, alignés comme à la parade sur le bord du toit.

Lorsque le soleil coula sous l'horizon, ils allumèrent le grand feu de joie préparé par Sarah et Yvon Daubigny. Toute la matinée, ils avaient roulé serré des magazines et des journaux légèrement humides. Tout l'après-midi ils avaient retourné leurs bûches de papier pour qu'elles sèchent au soleil. La pyramide de bûches s'enflamma en crépitant. Les flammes montèrent avec vigueur et brillèrent dans tous les yeux.

Puis, Mme Pérez et Habib apportèrent en grande pompe, sous les youyous et les bravos, deux grands plats de poissons volants grillés, couchés sur un lit d'algues et parsemés de pulpe de coco râpée. De petits verres d'une eau de coco trouble, délicatement sucrée, furent distribués. Gérard Patisson leva son verre.

– Mes chers amis, mes chers enfants, je bois à votre vaillance, à notre bonne étoile et… et… VIVE LA VIE !

Une ovation salua ce discours aussi bref que bien senti. Tous trinquèrent joyeusement puis entamèrent le festin avec force appétit, rires et éclats de voix.

Quand leur faim fut apaisée, les enfants se poussèrent du coude en chuchotant puis s'éclipsèrent. Tout à coup, roumploumploum ! Un roulement de tambour retentit. Dans la pénombre, Habib frappait comme un sourd sur une bassine, avec deux cuillères. Kevin se dressa et s'écria :

– Attention, mesdames et messieurs ! Le spectacle va commencer ! Vous pouvez maintenant applaudir la troupe des Zanini qui va vous présenter un sketch !

Sous les applaudissements, Salima entra en scène. Elle s'accouda à une rambarde imaginaire et inspecta ostensiblement l'horizon. Turgut apparut. Il était vêtu de la veste de Gérard Patisson dont les manches couvraient ses mains. Ses cheveux tenaient presque droit sur sa tête et les lunettes de Karim y tanguaient dangereusement. Très sérieux malgré les éclats de rire du public, il vint s'asseoir à une table et se mit à gratter furieusement des notes dans un cahier. La vigie s'égosilla :

– Hé, m'sieur, je vois un avion, là-haut !

Le faux directeur vint lui donner une petite tape sur la tête.

– J'ai dit de regarder la mer, la réprimanda-t-il sans un regard au ciel. La mer ! Ne pas quitter la mer des yeux !!!

Puis il retourna s'asseoir et poursuivit :

– Alors, j'écris dans le journal de bord : « Aujourd'hui, 432e jour de mer, tout va bien. Tout va de mieux en mieux. Les secours arriveront bientôt… »

Du coin de l'œil, Habib observa la réaction du vrai directeur. Gérard Patisson, comme les autres, rigolait de bon cœur.

Fatou s'avança alors, un livre sous le bras, flanquée de Jean-Henri qui portait une clé à molette et un carton hérissé de fils électriques.

– Je suis bien embêtée, Yvon, confia-t-elle. J'ai fini la mille et unième nuit et je ne sais plus quoi lire aux enfants.

– *Vingt Mille Lieues sous les mers* ? *Les Cent Un Dalmatiens* ? suggéra son compagnon.

– Surtout, je suis très inquiète : que va-t-on leur donner à boire ?

– Ne vous faites plus de souci, Sarah, j'ai la solution. Regardez, avec un vieux vélo et une lampe de bureau, j'ai inventé une machine à fabriquer de l'eau pure ! Il suffit de verser de l'eau ici et, par l'activation du processus chimique de combustion chromographique, voyez le résultat : un délicieux verre d'eau.

— Oh, Yvon, vous êtes tellement intelligent !

Ils sortirent en se tenant la main, tandis qu'Eunice, affublée d'une blouse de ménage aux poches débordantes de chiffons, surgissait en s'exclamant :

— Mon Dieu, mon Dieu, mon Dieu, on va enfin pouvoir se laver les mains !

Les acteurs s'avancèrent pour saluer sous un tonnerre d'applaudissements. Un nouveau tambourinage de bassine retentit. Marie Lou, Eunice et Rosalie, qui pratiquaient ensemble la gymnastique au sol, se lancèrent dans une énergique démonstration de roues, de roulades, de sauts et de ponts. Turgut et Vishnou enchaînèrent des figures de hip-hop, chaudement encouragés par un public en délire.

— Et maintenant, mesdames et messieurs, clama Kevin, je vous demande d'applaudir le plus grand dompteur d'oiseau du monde, qui va vous présenter un numéro incroyable. Ici, exceptionnellement, pour vous, ce soir, Basile et son pigeon savant Alizé !

Le public applaudit si fort qu'Alizé fut prise de panique et s'envola à tire-d'aile jusqu'à l'antenne de la bibliothèque. Il fallut force cajoleries et roucoulades avant qu'elle ne consente à regagner l'épaule de Basile.

— Et maintenant, mesdames et messieurs, reprit Kevin sans se démonter, je vous demande le plus grand silence pour admirer le fameux pigeon Alizé.

Tout le monde retint son souffle. Basile posa l'oiseau sur sa main gauche et se tapota l'épaule. Aussitôt, le pigeon se dandina le long de son bras tendu et vint se blottir au creux de son cou. Même manège le long du bras droit.

– Bravo, bravo ! chuchotèrent les spectateurs enthousiastes.

Basile sortit alors une miette de pain de sa poche et la glissa entre ses lèvres. Aussitôt Alizé inclina sa petite tête gris-bleu et, fort délicatement, s'empara de la miette.

Les spectateurs applaudirent silencieusement, mais à tout rompre.

Enfin, le dompteur saisit l'oiseau dans ses mains, le posa sur ses cheveux et commença à tourner, les bras écartés. Lentement d'abord, puis de plus en plus vite, en agitant les bras. Alizé battit des ailes. Alors, quelques instants, à la lueur du feu, l'enfant et l'oiseau semblèrent prendre ensemble leur envol.

Tous deux saluèrent gracieusement et le public abandonna toute retenue pour leur faire un triomphe.

Un ultime roulement de tambour s'apprêtait à clore le spectacle quand Saïd s'avança, un livre énorme à la main. La stupeur arrondit tous les yeux.

– Ah ! mesdames et messieurs, voici un dernier numéro qui n'était pas prévu. Un numéro de jonglage, je pense, improvisa Kevin.

– Non. J'veux vous lire un morceau, répondit Saïd. J'ai décidé de lire ce livre.

Il agita l'épais pavé de papier dans la lumière dansante et Sarah hoqueta de surprise.

– *Moby Dick* ! murmura-t-elle.

– Ouais, fit Saïd d'un ton de défi. J'ai pris le plus gros que j'ai trouvé dans les étagères.

Tous les yeux étaient rivés sur le jeune homme. Ceux de Rosalie brillaient.

– En fait, le gars qui raconte l'histoire, il accompagne un capitaine qu'est devenu fou parce qu'une baleine lui a bouffé une jambe. C'est une baleine blanche. Il l'appelle Moby Dick et il la poursuit à travers toute la mer pour se venger. J'vais juste vous lire le début, parce que je trouve ça bien.

La voix de Saïd s'éleva dans la nuit. Lente et trébuchante d'abord. Puis de plus en plus ferme, emportée par le plaisir et l'excitation.

– « *Appelons-moi Ismahel.*

Il y a quelque temps – le nombre exact d'années n'a aucune importance –, n'ayant que peu ou point d'argent en poche, et rien qui me retînt spécialement à terre, l'idée me vint et l'envie me prit de naviguer quelque peu et de m'en aller visiter les étendues marines de ce monde. C'est un remède à moi ; c'est une manière que j'ai de me sortir du noir

180

et de redonner du tonus à la circulation de mon sang. Oui, chaque fois que je me sens la lèvre amère et dure ; chaque fois qu'il bruine et vente dans mon âme et qu'il y fait un novembre glacial ; chaque fois que, sans préméditation aucune, je me trouve planté devant la vitrine des marchands de cercueils ou emboîtant le pas aux funèbres convois que je rencontre ; et surtout, oui, surtout, chaque fois que je sens en moi les mauvaises humeurs l'emporter à ce point qu'il me faille le puissant secours des principes moraux pour me retenir de courir les rues à seule fin de jeter bas, fort méthodiquement, le chapeau des gens –, alors, oui, je considère qu'il est grand temps pour moi de filer en mer au plus vite[7]. »

Saïd se tut. Il releva les yeux et fixa avec une sombre arrogance ses auditeurs éberlués. Alors les mains de Rosalie rompirent le silence d'un applaudissement admiratif. Sarah la rejoignit aussitôt, puis tous les autres. Des sifflets de supporters de foot saluèrent la performance. Tout à coup intimidé, Saïd dansait d'un pied sur l'autre, masquant de gouaille son embarras et sa joie.

– J'sais pas si j'l'aurai fini avant d'être vieux, parce qu'y fait huit cent huit pages et que j'dois tout lire cinq fois avant de comprendre !

---

7. *Moby Dick*, Herman Melville, traduction Armel Guerne, Éditions Phébus, 2005.

— Mon garçon, dit Yvon Daubigny en lui tapant affectueusement sur l'épaule, c'est le genre de livres qu'une vie entière n'épuise pas !

— C'est plutôt lui qui m'épuisera, rigola Saïd.

Dans la pénombre, une main fine vint se glisser dans la sienne tandis que Gérard Patisson proclamait :

— Pour terminer cette soirée en beauté, je propose de vous interpréter une chanson des Frères Jacques qui me semble de circonstance. Voici le refrain :

« Encore heureux qu'il ait fait beau
Et que la Marie-Joseph *soit un bon bateau*
Encore heureux qu'il ait fait beau
Et que la Marie-Joseph *soit un bon bateau. »*

Et le directeur de la bibliothèque d'entonner d'une puissante voix de baryton :

— *« Ça nous a pris trois mois complets*
Pour découvrir quels étaient ses projets
Quand le père nous l'a dit, c'était trop beau
Pour les vacances nous avions un bateau.
D'un bond d'un seul et sans hésitations
On se documente sur la navigation
En moins d'huit jours nous fûmes persuadés
Que la mer pour nous n'aurait plus de secrets »…

Bras dessus, bras dessous, ils reprirent chaque refrain à l'unisson, à gorge déployée et les yeux pleins d'étoiles.

Bien plus tard cette nuit-là, Sarah écrivit dans le journal de bord :

Mardi 19 février, huitième jour de mer, 3 h 30. Le vent a tourné et souffle, régulier, du nord-est. Notre vitesse est de 4 nœuds.

Tout va bien à bord. Aussi bizarre que cela puisse paraître, nous avons fait une fête et passé une excellente soirée. Les enfants sont tous magnifiques de vitalité, de courage, d'humour. Nous ne survivons pas, nous vivons.

Terre ? Terre ?

Quand Sarah s'éveilla ce matin-là, Yvon était parti prendre son quart depuis longtemps. Elle s'étira comme un chat et, par la fenêtre de leur cabine aménagée dans l'ancien bureau directorial, observa le ciel d'un bleu de carte postale. La grande houle berçait tendrement la bibliothèque, comme une ample respiration qui leur était devenue si familière. Sarah songea que les réserves d'eau étaient pleines, que des provisions de poisson séché emplissaient tous les placards, que la pêche comblait chaque jour leurs besoins en chair fraîche et en algues. Elle se sentit en sécurité et sourit à cette pensée. Décidément, la vie était pleine de surprises !

Sarah se rappela soudain qu'elle avait promis aux enfants une leçon de plongeon. Sautant du lit, elle enfila son T-shirt et son jean, transformé en short. Sous l'effet de la chaleur, ils avaient tous raccourci leurs vêtements, taillant aux ciseaux des manches ici, et des jambières là. Du coup, ils avaient tous bronzé à qui mieux mieux. Leurs cheveux chaque jour plus longs et plus indisciplinés achevaient de leur conférer une allure de joyeux sauvages.

Dans la bibliothèque, enfants et adultes vaquaient à leurs occupations. Certains pêchaient avec Yvon. D'autres dessinaient, lisaient ou disputaient une partie de petits chevaux. Accoudés à la rambarde, un peu à l'écart, Saïd et Rosalie parlaient à voix basse. Mme Pérez partageait la vigie avec Eunice qui n'en finissait pas de tricoter une immense écharpe, propre à embobiner quarante fois un cou de dimension normale. Un petit groupe, nez en l'air, observait Alizé tournoyer comme un rapace. À l'appel de Basile, le pigeon vint brièvement se poser sur son épaule, lui picora l'oreille puis s'envola comme une flèche poursuivre sa ronde aérienne.

— Elle fait ça depuis ce matin, expliqua Basile à Sarah. Je ne comprends pas ce qu'elle a.

— Tu lui as donné à manger ? À boire ?

— Oui, comme d'habitude, mais elle n'a rien pris. Pourvu qu'elle ne soit pas malade !

— Si c'était le cas, elle ne volerait pas avec cette belle énergie, le rassura Sarah. Peut-être a-t-elle senti quelque chose que nous ne voyons pas ?

Elle inspecta l'horizon. Hormis un petit amas de nuages blancs et ronds, loin vers le sud-ouest, le ciel et l'océan étaient déserts. Elle fit une moue d'ignorance et cria à la cantonade :

— Qui est partant pour un plongeon ?

185

– Tu viens te baigner ? demanda Saïd.

Rosalie hésita. Son sourcil cicatrisait doucement, mais elle craignait encore la brûlure de l'eau salée.

– Je vais te regarder plonger, concéda-t-elle.

Saïd avait fait des progrès spectaculaires en natation grâce aux leçons de Sarah. Il maîtrisait parfaitement la brasse et son crawl, précis et régulier, gagnait en puissance à chaque entraînement. À Rosalie, seulement, il avait confié son rêve secret : devenir marin, acheter un bateau, faire le tour du monde.

– C'est une super idée, avait approuvé l'adolescente, sachant d'instinct que les exigences de la liberté étaient les seules que supporterait le jeune homme.

Elle avait tout de même ajouté :

– Tu partiras souvent. Et loin.

– Je reviendrai. Tu partiras avec moi, avait affirmé Saïd avec une absolue certitude. Enfin… un jour… si tu veux.

Rosalie avait souri et hoché la tête. Un jour. Peut-être.

Journal de bord, par Gérard Patisson.

Dimanche 10 mars, vingt-huitième jour de mer, 14 h. Bon vent d'est. À la houle s'est ajouté un nouveau clapot de sud-ouest. Vitesse : 3 nœuds.

Tout est OK à bord. Un curieux bloc de nuages à l'horizon semble ne jamais bouger et

grossir comme nous avançons. Oserai-je espérer
une île ?

— UN BATEAU ! UN BATEAU ! hurla Jean-Henri, l'index tendu vers la mer.

Ils jaillirent des cabines, des hamacs, de la cuisine, de la cale, se précipitèrent sur le toit et se bousculèrent à la rambarde. Au bout du doigt de Jean-Henri, ils distinguèrent un minuscule pointillé noir, suivi d'une longue traîne blanche.

— C'est encore un orque ! ronchonna Basile.

— Non ! Non, ça bouge ! glapit Marie Lou.

— Ben oui, les orques, ça bouge.

— Celui-ci avance vite, observa Yvon Daubigny d'une voix tendue.

— C'est… je crois que c'est… Oui, c'est un Zodiac ! bafouilla Gérard Patisson.

— C'est quoi, comme genre de bête ? s'enquit l'entêté Basile.

— Ce sont les bateaux rapides des douanes ou des sauveteurs en mer ! Ils nous ont vus ! Ils viennent vers nous ! Mes enfants, nous sommes sauvés !

Des cris de joie incrédules éclatèrent. Kevin et Turgut improvisèrent une petite gigue mâtinée de pogo.

— Mon Dieu, mon Dieu, mon Dieu, gémit Mme Pérez. Mes prières ont été entendues !

Elle se mit à pleurer doucement. Salima vint l'entourer de ses bras et mêla ses larmes aux siennes.

Le léger zonzonnement du moteur hors-bord leur parvint, s'amplifiant d'instant en instant.

— Y a deux bonshommes dans le bateau, assura Fatou aux yeux perçants. Y a aussi un truc écrit en blanc sur le côté, mais c'est trop loin encore.

— M'sieur, c'est vraiment vrai qu'on est sauvés ? s'inquiéta Vishnou.

— Oui, mon garçon ! le rassura Yvon Daubigny. Vraiment vrai. Dans quelques heures, vous pourrez téléphoner à vos parents !

— Ça y est, je vois ! Il y a écrit Po-li-cia-na-tio-na-le, déchiffra Fatou.

— *Bom Deus*, c'est la police de mon pays, s'écria Mme Pérez. La police portugaise !

— La police portugaise ? Nous serions vraiment… commença Gérard Patisson, estomaqué.

Le Zodiac décrivit une courbe élégante et s'approcha de la bibliothèque en réduisant les gaz. L'un des deux policiers portait un équipement de plongeur, l'autre un caban bleu marine. Ce dernier alluma un mégaphone et sa voix résonna, crachotante et métallique. Cette brusque intrusion de la civilisation dans leur univers de vagues et de vent les fit tous sursauter.

— C'est la police de l'île de Flores, aux Açores, traduisit Mme Pérez. Un avion leur a signalé notre approche. Il demande qui nous sommes.

— Les 6ᵉ F, répondit Kevin du ton de l'évidence, en haussant les épaules.

— N'importe quoi, rétorqua Marie Lou, il faut leur dire qu'on est la bibliothèque Jacques-Prévert, sinon ils vont rien comprendre !

— Et surtout qu'on arrive de France, ajouta Jean-Henri.

— Répondez que nous sommes des naufragés, décida Gérard Patisson.

— Ah non ! s'indigna Saïd. Pas des naufragés. Des « voyageurs » !

— Il a raison, appuya Sarah. C'est un titre que nous avons conquis de haute lutte !

Gérard Patisson eut un large sourire.

— Madame Pérez, voudriez-vous annoncer à ces messieurs de la *Policia Nationale* que la bibliothèque Jacques-Prévert, de France, et son équipage demandent à faire escale dans leur île ?

Mme Pérez s'efforça de communiquer ces rocambolesques informations aux hommes du Zodiac.

— Eh bien, voici la fin du voyage ! soupira Gérard Patisson avec un soulagement sans mélange.

Yvon Daubigny enlaça Sarah et chuchota à son oreille :

— Je suis si heureux que nous arrivions tous sains et saufs à bon port. Mais si triste de clore cette parenthèse enchantée…

— Qui nous oblige à la refermer ? murmura Sarah avec un sourire.

– Moi, j'rentre pas, affirma Saïd, le regard perdu à l'horizon azur. Aux Açores, on a d'jà fait la moitié du chemin vers l'Amérique.

– Certes, mais la scolarité est obligatoire jusqu'à seize ans, pointa Gérard Patisson en fronçant le sourcil.

– 'Scusez-moi, m'sieur, mais j'm'en fous. Moi, j'veux apprendre à naviguer.

– Il existe des écoles pour ça. J'en connais une très bien.

Saïd secoua la tête avec amertume.

– J'ai trop redoublé pour aller dans une école bien.

– Un jeune homme qui a traversé la moitié d'un océan sur une bibliothèque a droit à une deuxième chance, assura Gérard Patisson. En outre, le directeur est un de mes cousins. Gamins, nous faisions du dériveur ensemble.

Les yeux noirs de Saïd flambèrent d'un fol espoir.

– Alors… m'sieur… vous croyez que…

– Je ne crois pas. J'en suis sûr.

Le visage d'Habib, où brillaient deux rangées de dents blanches et affamées, s'intercala soudain entre eux.

– Hé, m'sieur, de la place pour dix-sept dans le meilleur resto du coin, vous croyez qu'y en aura pour le dîner ?

CET OUVRAGE A ÉTÉ ACHEVÉ D'IMPRIMER SOUS LE
VENT POUR LE COMPTE
DES ÉDITIONS THIERRY MAGNIER
PAR NOUVELLE IMPRIMERIE LABALLERY À CLAMECY
EN DÉCEMBRE 2019 (7e ÉDITION)
DÉPÔT LÉGAL : AVRIL 2012 - N° 912282

Imprimé en France